EL GRAN ELECTOR

C U A R T O   C R E C I E N T E

J O A Q U Í N   M O R T I Z • M É X I C O

IGNACIO SOLARES

El gran elector

Primera edición, abril de 1993
Primera reimpresión, julio de 1993

Grupo Editorial Planeta
Insurgentes Sur 1162-3o., Col. del Valle
Deleg. Benito Juárez, 03100, D. F.

ISBN 968-27-0572-X

Portada: Jorge Villa del Ángel

Para mis hijos
María José,
Diego y
Matilde Aidée

Al final pondrán su libertad a nuestros pies y nos dirán: "Hacednos vuestros esclavos pero dadnos de comer."

FIODOR DOSTOIEVSKI, *El gran inquisidor*

¿Un fantasma? Sonrió. Todavía en ese momento sonreía el Señor Presidente. A sus postraciones fatales casi siempre las antecede una sonrisa, una broma o una abierta carcajada —que en su rostro envejecido y desencajado adquiere un aspecto francamente macabro.

—Un fantasma, te digo, Domínguez. Pero lo hice marcharse con la cola entre las patas ¿eh? Ja-ja-ja —y aleteaba los brazos en una forma como si él mismo fuera a emprender el vuelo. Un mechón de pelo blanco le brincaba en la frente y por momentos lo hacía guiñar un ojo.

—Iba hecho polvo.

—¿Viste el beso? Un beso a mí —y el movimiento brusco de la mano rozó la mejilla, como si más que la huella del beso intentara apartar una sombra—. Ah, los fantasmas de la historia, Domínguez, un día te cuento más de ellos y lo entenderás todo. Vi algunos corporificarse en el Instituto de Investigaciones Psíquicas en los años cuarenta, pero esto, esto de ahora . . .

Siempre antes de las crisis ríe y se pone filosófico, es horrible:

—Estamos condenados a que la vida de México la ronden fantasmas, Domínguez. Como lo oyes, gobernamos con ellos al lado.

—Señor, pero mírelo usted: camina con pasos tan firmes como cualquier ser de carne y hueso —le dije señalándole al hombrecito a través de los visillos del balcón: cruzó la calle y se reintegró al grupo de campesinos y desarrapados con que llegó al Zócalo. Se sentó de nuevo en el suelo, a un lado de la manta de protesta, en esa postura yogui que creo llaman de medio loto; tal como lo encontré cuando fui por él unas horas antes a pedirle que me acompañara porque el Señor Presidente quería hablarle, y se limitó a mirarme intensamente por entre sus pestañas muy oscuras y contestó que él no tenía nada que hablar con el Señor Presidente, que el Señor Presidente se fuera al carajo —las únicas palabras que le oí pronunciar, por cierto, porque a partir de ese momento permaneció en absoluto silencio— y fue entonces cuando tuvimos que ponerlo de pie a la fuerza. Parecía que hubiera echado raíces, integrándose al cemento, volviéndose él mismo de cemento. Nomás pestañeaba con los golpes y jalones que tuvieron que darle mis ayudantes, y se cimbraba como un árbol en una tormenta. Alguien que se resiste en esa forma a ponerse de pie no puede ser un fantasma, digo. Le toqué los músculos de un brazo y les aseguro que eran flexibles y macizos a la vez; y su mirada más participaba del resplandor del acero fundido que de la vaporación que, supongo, caracteriza la de los fantasmas.

—¿Lo dejamos ahí, Señor Presidente? ¿Quiere que ahora sí tratemos de interrogarlo nosotros?

—Es un fantasma, pendejo. ¿Qué le vas a preguntar? ¿Interrogarlo a él? ¿A él? ¿Tú? —y aún trataba de reír, aunque la sonrisa iba convirtiéndosele en un gesto de asco que le remarcaba las arrugas—. ¿No te has dado cuenta? No te das cuenta de nada, pinche Domínguez. Déjame en paz.

Desde que trabajo a sus órdenes —hace la friolera de sesenta años— cuando algo le molesta de mí dice lo de pinche Domínguez, así, rápido y despectivo; a veces tan rápido y despectivo que de la primera palabra sólo pronuncia la che. Es lo que más me ofende, lo sabe. Me ofende y me humilla hasta el derrumbe absoluto y el peor de los resentimientos, y él lo repite una y otra vez. Conforme han pasado los años lo dice con más frecuencia, sin importarle quién esté a nuestro lado. A nadie más se lo aguanto, y por los cuarenta tuve incluso un enfrentamiento pistola en mano con un general que se atrevió a decirlo en mi propia cara. Pero, bueno, es un asunto que no viene al caso.

—Señor.

—No hables más de él. No quiero oír hablar más de él. Como si no existiera, ¡ya! —e hizo unos signos muy raros en el aire, como si dibujara los compases de una música secreta. Pero no se alejó del balcón y yo diría que hasta miró por última vez hacia el grupo de protesta en donde se encontraba el hombrecito.

—Se hará como usted diga, señor.

—¿Qué tengo a las doce, Domínguez? —preguntó mirando su reloj de pulsera, alejándose por fin del balcón con los puños crispados, temblorosos, como si contuviera ahí el coraje y la impotencia.

—Señor, ya lo están esperando en el salón de Embajadores los niños más aplicados del país.

—Qué horror. Como si estuviera yo de ánimo para recibir a los niños más aplicados del país . . .

Entonces le cambió totalmente la expresión. Gritó: él, él, él, y miró a su alrededor con ojos alucinados. Ahora sí, en verdad, parecía estar frente a lo que sólo él podía ver. Castañeteó los dientes mientras el labio inferior se le proyectaba hacia el frente, muy pálido y tembloroso. Pronunció unos números sin sentido, algunas palabras y frases que no entendí. Y sucedió lo inevitable, lo que viene sucediendo desde hace tiempo, aunque no en forma tan severa: dejarse caer como bulto sobre un sillón y hacerse bolita ahí, ovillarse —hasta da la impresión de que fuera un puro montoncito de huesos dentro de la ropa holgada—, llevarse la mano al pecho y agarrarse el corazón, estrujarlo como si quisiera volverlo migajas, y así mostrármelo. Los ojos le revoloteaban en las órbitas. Llamé al médico y corrí a la salita de descanso por sus pastillas. Al salir escuché de nuevo su risa.

☛

¿Por qué no había yo informado de esas crisis nerviosas del Señor Presidente? Por una orden tajante suya de no hacerlo. Orden que ha hecho extensiva a médicos, ayudantes y colaboradores que las han presenciado.

¿Qué han dicho los médicos? Que mientras no sean demasiado frecuentes no son de preocupar. Más que curar algunos males, hay que aprender a vivir con ellos, dicen. Le han hecho toda clase de análisis y estudios y no encuentran una causa física. Por lo demás, el organismo del Señor Presidente, a pesar de su edad, tiene una capacidad asombrosa de recuperación y las crisis hasta le sirven de catarsis emocional.

¿Cómo las toma él mismo? Lo desconcertaban las primeras veces que las padeció —y las padece desde hace más de sesenta años—, hasta que comprendió su carácter mesiánico (el suyo y el de las crisis). Por eso prefiere llamarlas entrevisiones y relacionarlas más con lo espiritual que con lo puramente nervioso, tan peyorativo para un hombre de sus capacidades. En diferentes épocas —en especial en los años cuarenta y cincuenta— ha asistido a sesiones espiritistas y luego por los setenta y ochenta le dio por la parapsicología y la magia —aunque esto más bien fue un rollo en que lo emboletó su mujer. Lo admirable es que esas entrevisiones de lo sobrenatural no obsten para que, apenas se recupera de ellas, el Señor Presidente continúe considerándose, humildemente, un simple administrador de los bienes y de los deseos de la nación.

¿Cómo las describe? Ante todo como una exploración obligada en un posible reino milenario, como lo llama. El edén en que México podría convertirse si las cosas marcharan como el Señor Presidente pretende. El otro México que él quiere trasladar a esta tierra para que sus compatriotas también lo vean —lo entrevean— y gocen de él. Por eso considera sus crisis espirituales una obligación y dice que con ellas baja al Volcán del Inconsciente Colectivo, se acerca a las Madres Primeras, se conecta con el Centro de Todas las Cosas y su cuerpo adquiere una pura condición parasitaria, algo así como de mero gusano adherido al alma.

¿Las relaciona con la muerte? Por supuesto que las relaciona con la muerte y sabe que de una de esas crisis no regresará, pero dice que aún no es tiempo: una fuerza extraña, incontrolable, lo sube a la superficie, le abre los ojos y lo reinstala en sus obligaciones cotidianas. "Lo sé, Domínguez, lo sabemos todos los que participamos del pesado fardo del poder: la mejor cualidad de nuestros honorables antepasados es la de estar muertos y bien muertos; gracias a esa cualidad podemos honrarlos y aprender de ellos. Espero, modesta y orgullosamente, el momento de heredarla, pero aún no, aún no es tiempo. Que se mueran los otros. Nadie mejor que yo sabe, fíjate bien lo que digo, Domínguez, el momento en que deberé hacer mutis y abrir una nueva etapa en la historia de este país."

¿Habla solo con frecuencia? Todos a veces hablamos solos, me parece. Aunque él, quizá, por la responsabilidad y la soledad inevitables que le implica su alta investidura, lo haga un poco más seguido ("soy un Robinson del alma", me dijo en algún momento difícil de su administración; "un náufrago en la peor de las islas: Palacio Nacional"). Desde hace años, por las noches, cuando nos quedamos solos él y yo, le da por recorrer los salones presidenciales (con los años habita cada vez más Palacio y menos Los Pinos): las manos a la espalda y los ojos clavados en el piso, como si buscara un objeto perdido, y el mechón blanco revoloteándole en la frente. Habla solo, sí. O nomás mira hacia lo alto, los plafones y los candiles, parpadeante y hasta un poco sonámbulo. O le da por clavarse en los cuadros, como si los contemplara por primera vez. ¿Cuándo colgamos éste, Domínguez? Pregunta, por ejemplo, del Zapata en el salón Juárez. En mil novecientos cincuenta y nueve, señor. Usted mismo se lo mandó hacer a Albanés a partir de una foto de Casasola. O se para extasiado ante el Miguel Hidalgo, también de Albanés, en el salón de Embajadores y trata de imitarle el gesto altivo, teatral, la mano crispada que enarbola la bandera guadalupana (lo he pensado: por Dios, Señor Presidente, si alguien más llega a descubrirlo en esas poses). Y da el grito desde la ampulosa actitud que supone en el padre de nuestra Independencia: ¡Viva México! ¡Mueran los gachupines! Se justifica ante mí: dice que lo hace para practicar, aunque después de haber dado el grito más de sesenta veces, qué más práctica puede necesitar.

También lo he visto como que apoya una espada en el suelo con la displicencia aristocrática con que lo hace el Guadalupe Victoria de Tejeda, en la Galería de Presidentes. Pero el cuadro que a últimas fechas observa con más detenimiento, y hasta diría con creciente obsesión, es el de Porfirio Díaz, también de Tejeda. Se acerca, se aleja, le busca diferentes ángulos. Casi logra la expresión altiva del cuadro: una cabeza como tallada en un macizo bloque de madera, con unos profusos bigotes blancos y el cuello corto y sanguíneo que emerge de un uniforme sobre el cual resaltan —junto con las altas charreteras y los laureles bordados de oro— las medallas, las cadenas, las placas y las cruces con que lo condecoraron reyes y presidentes de casi todo el mundo. Me comenta detalles, pregunta sobre cada una de las condecoraciones: cuándo, dónde, quién diablos la puso ahí, sobre ese pecho admirable, ancho y orgulloso. Temo sus preguntas, insospechadas, perentorias, a veces de lo más banales, pero que en el lapso de unas horas moverán como hormigas espantadas a todo un equipo de investigadores que deberán contestarlas al detalle.

A veces sus crisis son de otra índole. Antes como que eran de creerse todo lo más que alguien puede creerse aquí en México, "arrebatos de juventud" los llama hoy: sentirse jefe del poder ejecutivo, legislativo y judicial, del ejército, de la fuerza aérea, de la marina, de la policía, del partido oficial, de la paz y de la guerra, de los medios de comunicación, de los treinta y un estados de la República y de un Distrito Federal, de los ríos, del suelo y del subsuelo, del transporte, del presupuesto, de los bancos, de los créditos, de los salarios y los precios, del perdón y de la condena, de innumerables empresas, de muchísimas universidades y escuelas, de las tierras, de las aguas, de los cielos, del petróleo, de la electricidad y de la siderurgia, de los mayores favores que alguien pueda recibir y también de los mayores ruegos con que alguien pueda pedir algo, del dolor y de la vida de los mexicanos que él señalara . . .

En alguna ocasión lo encontré ante el gran espejo de su salita de descanso, gesticulando y diciéndose a sí mismo: Presidente, Presidente Constitucional de los Estados Unidos Mexicanos, Primer Mandatario, Jefe del Ejecutivo, Primer Magistrado, Jefe Nato de las Instituciones, Primer Jefe, Ejecutivo de la Nación, Jefe de los Poderes Legítimamente Constituidos, Jefe Máximo, Siervo de la Nación, Cabeza del Estado, Primer Mexicano, Líder Natural del Pueblo de

México, Hijo Dilecto de la Patria, Supremo Dador, Señor del Gran Poder, Padre Nuestro, y otras varias advocaciones que se me olvidan.

Ahora sus crisis son más bien como de pronto ya no saber quién es o dónde está; o sea, de las más feas. Quizá por la edad: no quiero pensar en otra cosa. Por ejemplo, un día en el salón Morisco, en el que le encanta instalarse ya que se ha marchado el personal administrativo y sólo quedan los guardias, me dictaba algo de sus memorias —piltrafas sueltas de recuerdos que por desgracia a estas alturas se le enredan un poco— y de pronto se quedó dormido así, sentado en un sofá, con la barbilla clavada en el pecho y las manos anudadas en el vientre —lo que es extrañísimo: aún actualmente con cuatro o cinco horas de sueño tiene más que suficiente para permanecer fresco todo el día y sólo en una ocasión, hace unos veinte años, en una reunión con campesinos y el entonces secretario de la Reforma Agraria, de plano se quedó dormido sobre la gran mesa de palisandro del salón de Acuerdos, el brazo derecho doblado bajo la cabeza para que le sirviera de almohada—; traté de no hacer ruido y salía del salón Morisco en puntas de pies cuando despertó bruscamente.

—¿Domínguez, adónde vas?

—Señor, perdón, pero como lo vi quedarse

dormido . . .

E hizo la pregunta que me puso la piel de gallina.

—¿Domínguez, quién soy?

—Señor . . .

—¿Quién?

—Señor, usted . . .

Casi me daba miedo decirle quién era, no fuera a angustiarlo más.

—¿Y dónde estoy, Domínguez?

Comprendí que no podía dejarlo más en la nebulosa en que vagaba a partir del momento en que abrió los ojos, y lentamente le empecé a decir:

—En el salón Morisco, señor. Mírelo usted. ¿Lo recuerda ya? Lo acondicionaron durante el porfiriato después de haber servido de fumador en la época virreinal y usted le ha agregado algunos objetos como ese reloj. ¿Ve el reloj, señor? ¿Ve la hora? Son las diez y cuarenta y ocho de la noche y antes de quedarse dormido usted me dictaba algo sobre las turbulentas elecciones del veintinueve, cuando enfrentó la candidatura de Vasconcelos. ¿Ya?

—Ah, Vasconcelos.

Pero supe que no acababa de despertar por la forma en que movía la cabeza y tenía los ojos en el candil: un candil enorme, francés, labrado en bronce con almendras de cristal y que parecía hipnotizarlo con sus treinta y seis luces. Pasó una mano temblorosa por la tela de gobelino del sofá, como reconociéndolo, y se puso de pie. Se volvió y al mirarse en el gran espejo biselado que tenía detrás los ojos se le desorbitaron más:

—¿Soy yo, Domínguez? ¿Será verdad? ¿Soy el que he sido todos estos años aquí en Palacio, al frente del país?

—Señor.

—Ven a mirarte conmigo al espejo, Domínguez. Ven —lo obedecí—. ¿Qué ves? ¿Ves lo mismo que yo? Dos viejos decrépitos, arrugados como pasas y con el pelo blanco, que ya valen para una pura chingada, mirándose al espejo. ¿Lo ves, Domínguez?

—Sí, señor. Lo veo.

—Estamos muy viejos, Domínguez. Hemos vivido demasiado.

—Demasiado, señor.

—Inventamos este país de la nada.

—De la nada.

—Lo inventamos de la nada, como inventamos la Unidad Nacional. O el Desarrollo Estabilizador. ¿No crees? O Acapulco. O el Plan de Desarrollo Industrial. O Cancún. Tú y yo inventamos todo el país, Domínguez.

—Todo, señor.

—Quizá nomás lo soñamos.

—Quizá.

—A la izquierda o a la derecha, populistas o liberales, austeros o frívolos, lo mismo gobernamos con saliva que con sueños, pero siempre, en el fondo, hemos sido uno y el mismo, ¿verdad, Domínguez?

—Uno y el mismo, señor.

—Mira cómo al reírnos se nos remarcan las arrugas y nos cuelga la grasa sin rigidez de abajo de la barbilla. Debimos ponernos igual ante un espejo el día en que entraste a trabajar conmigo. O tomarnos una foto así. Ahora podríamos compararnos.

—Imagínese si me iba a atrever. Ni siquiera podía mirarlo directamente a los ojos el día en que entré a trabajar con usted.

—¿Recuerdas esta cictariz, Domínguez?

—Iba con usted en el auto cuando le dieron el balazo, señor. Fue el cinco de febrero de mil novecientos veintinueve. Nos aproximábamos a la puerta Mariana de Palacio. Daniel Flores se llamaba el agresor: tipo esmirriado, vasconcelista, vecino de Charcas en San Luis Potosí, pobretón pero dueño de una pistola. Lo torturamos hasta casi matarlo, pero no le sacamos el nombre de ningún cómplice.

—En el cuarenta y cuatro hubo otro atentado

¿recuerdas? De nuevo a la entrada de Palacio, curiosamente. La bala me rozó un hombro.

—Mucho más peligroso me pareció cómo se expuso unos años antes en el balcón del Palacio de Gobierno de San Luis Potosí ante los secuaces del general Cedillo, armados y escondidos entre la multitud que lo escuchaba. Deveras, ahí sí yo estaba seguro de que lo mataban, señor.

—¿Y si me hubieran matado, Domínguez? ¿Qué hubiera sido de este pobre país?

—Se imagina. El caos, supongo.

—El regreso a los cuartelazos, a la rebatinga por el poder, a la anarquía y a la miseria, al encono fratricida. Verás que cuando de veras me muera y esté aquí alguien del PAN o del PRD me extrañan, Domínguez.

—No tengo ninguna duda, señor.

—Le he dado mi vida a este mugre país.

—Su vida, sus mejores sueños y hasta su posibilidad de salvación personal, me consta.

—Mi salvación personal, bah. Lo que sólo a mí me importa a quién le importa. Pero ya estoy tan cansado. A ti puedo decírtelo. No imaginas qué ganas tengo de mandarlos a todos al carajo. Lo único que voy a llevarme, después de sesenta años de servicio incondicional, son la ingratitud y la traición, te lo aseguro.

Regla de oro para servir y volverse indispensable con un hombre como el Señor Presidente es decirle siempre lo que quiere oír, y nada más. Bastantes dudas y problemas carga para que me ponga yo a cuestionarlo en sus momentos difíciles, por favor.

—Señor, usted no puede irse a ninguna parte porque la patria lo necesita hoy más que nunca —y le encanta que lo subraye—: hoy más que nunca.

De pronto se volvió y me tomó por los hombros para que yo también lo mirara de frente.

—No te lo he dicho, pero nada me importa tanto como quién me cierre los ojos, Domínguez. Por eso tú me importas tanto.

—Señor, qué honor.

Me pasó por la cara unos dedos reptantes, temblorosos y magnéticos. Intimida tenerlo así, tan de cerca, con las arrugas de su rostro marcadas como en un papel encarrujado, la onda de pelo blanco y la mirada pugnaz que escudriña en las madrigueras de nuestras segundas intenciones, y todo nos lo adivina.

—No sé cómo puedo confiar en ti. Me aterra que seas tú quien me cierre los ojos. Me vas a mandar derechito al infierno, pinche Domínguez.

Había despertado del todo y a los pocos minutos continuó con sus memorias, tan fresco, y hasta me pidió que —a esas horas, Dios mío— lo ayudara a trabajar en un discurso que se le ocurrió a raíz de las reflexiones ante el espejo. Cualquier experiencia importante —social, política, espiritual— la quiere volver discurso: los escribe y después nomás los adapta según las circunstancias o la celebración.

☛

¿Sus distracciones? La música, es obvio. La literatura, con la que ha sido tan apasionado y, yo diría, ambivalente. Le encanta leer a Vasconcelos, por ejemplo, pero igual dice pestes de él cuando se lo mencionan y recuerda las elecciones del veintinueve. O Pepe Revueltas, a quien ahora que ya murió lee con verdadera fruición —hasta un busto le mandó poner en la glorieta de la Bola, por el sur de la capital— y sin embargo cuando vivía lo detestaba y en diferentes ocasiones, a la menor provocación, lo refundía en la cárcel. Dice que esas situaciones lo hacen sufrir mucho —"¿para qué encariñarse con ellos a través de sus obras y luego tener que sacrificarlos?"—, pero primero debe estar el gobernante, firme e imperturbable en sus decisiones, que el lector, soñador y emotivo. Durante los años en que tuvo preso a Siqueiros descolgó todos sus cuadros de

Los Pinos, y luego lo soltó y volvió a colgarlos y a gozar de ellos. A Martín Luis Guzmán, al que también le encanta leer, se lo ganó tras varios años de fricciones y enconos, lo invitó a colaborar y finalmente don Martín hizo declaraciones muy favorables al Señor Presidente cuando los sucesos del sesenta y ocho. Pero no es fácil. Tal parece, dice, que fuera un desprestigio para un intelectual hablar bien de mí. Lo que impera es la crítica despiadada, malévola, injusta. "Y todavía ellos hablan de crueldad", dice cuando lee en el periódico ciertos comentarios o ve ciertas caricaturas. Pero sabe que con los periodistas y los artistas lo mejor es la indiferencia. Aguantarse y hacer como que no le importa. Invitarlos a una ceremonia oficial y aparentar que no los conoce (con lo cual los purga). O de plano no invitarlos nunca a nada por más prestigio que tengan. O invitar a unos sí y a otros no, según los grupos, malquistándolos. De un escritor era amigo pero cuando supo que lo llamó "Prinosaurio", se enfureció —soporta las críticas a fondo, dice, y hasta a veces las toma en cuenta, pero las burlas lo sulfuran— y lo descartó de un plumazo para una embajada que planeaba darle y ya ni siquiera volvió a incluirlo en las invitaciones para giras, banquetes o ceremonias. "Si les damos todo. Si les hemos dado todo durante estos años, hasta una atención excesiva e inmerecida: libertad de que escriban, pinten o compongan lo que quieran, becas mejores que las extranjeras, editoriales que publican un libro diario y todos los sitios posibles para exposiciones o conciertos, homenajes con bombo y platillo en Bellas Artes . . . por qué carajos entonces nos reponden así, Domínguez. Ya los quisiera ver en Cuba o en Rusia." Pero a pesar de lo anterior —y que guarda como una llaguita en el fondo de su corazón— goza de cualquier expresión artística, nacional o extranjera (sólo de algunos libros y revistas trato de apartarlo porque pueden ponerlo de mal humor el resto del día).

Como nos sucede a todos, sus aficiones son por épocas. El deporte medio que lo ha practicado con cierta constancia: desde la arquería y la equitación, el esgrima y el golf , pasando por el tenis, la natación, caminar y correr por las mañanas y, hasta las lagartijas y los abdominales. Tuvo un Masseratti que en momentos de gran tensión corría por las noches en pleno anillo periférico (recién lo había él inaugurado; hoy le sería imposible con el tránsito y ya ni ganas han de darle). El dominó también le gustaba; jugaba con algunos de sus ministros y hasta como que gozaba humillándolos al ahorcarles las fichas. Pero de pronto carecía de ánimos para cualquier distracción o deporte y se pasaba años refunfuñando por todo. ¿Quién escapa a esos cambios de ánimo y de humor?

Lo que, creo, ha preferido como distracción es escribir sus discursos. Esos nunca le aburren. Y luego le encanta recordarlos, volver a oírlos y regodearse en ellos, como si los estuviera pronunciando en ese mismo instante, como si el tiempo se detuviera y hablara en una ¿cómo llamarla? eternidad congelada. De los treinta, de los cuarenta, de los cincuenta, de los sesenta, de los setenta, de los ochenta, casi no tiene preferencia por ninguno y todos le siguen dando algo para los que escribe hoy. "Me alimento de mí mismo", como dice. No importan las contradicciones: lo único que atiende y le importa es el hilo conductor. Por eso ahora que está con lo de sus memorias tenemos una hora —casi a la media noche— en que le selecciono trozos de algunos de ellos y se los leo:

—¡Compatriotas! La crisis social y económica que vive en estos momentos el país ha venido a marcar el momento histórico preciso en que el centro de gravedad de la Revolución deberá pasar del campo de lo social al campo de lo económico. Vivimos momentos históricos. La lucha ha cambiado de naturaleza y objetivos; en lo sucesivo las conquistas que se han efectuado en el terreno social se irán ampliando y confirmando por la sola inercia de los intereses creados; por lo tanto, es en el terreno económico en donde la Revolución deberá concentrar todo su dinamismo y su poder de organización.

—¿De cuándo es ése, Domínguez?

—De treinta y tres.

—Muy actual, ¿no te parece?

—Casi podría decirlo hoy mismo.

—Visionario.

—Muy visionario. Pero ahora escuche usted éste de treinta y seis . . . Tuvo usted un cambio tan brusco que hasta pareció pelearse y declarar contra sí mismo.

Soltó una de sus carcajadas.

—La dialéctica del . . . ¿cómo decía Cabrera?

—La dialéctica del diablo.

—Esa.

—¿No hasta mandó clausurar los casinos y el bar del Palacio de Bellas Artes que poco antes usted mismo había abierto?

—Y proscribí el frac o el jacquet y el sombrero de copa de las ceremonias públicas, con los que me veía ridículo.

—¿Y cuándo proscribió la carroza abierta con entorchados, señor?

—No me acuerdo. No me importa. Es más de la media noche y me está dando sueño. Lee ya eso del treinta y seis.

—Es fundamental ver el problema económico en su integridad y advertir las conexiones que ligan cada una de sus partes con las demás. Sólo el Estado tiene un interés general y de justicia y, por eso, sólo él posee una verdadera visión de conjunto. Así, la intervención del Estado ha de ser cada vez mayor, cada vez más frecuente y, sobre todo, cada vez más a fondo.

—Imagínate hoy, en pleno adelgazamiento del Estado y cuando más que meternos a fondo lo que queremos es salirnos. Ah, pero la continuidad, descubre la continuidad, no seas perezoso. Piensa en aquello y en lo que hoy somos y tenemos. Si podemos salirnos es porque ya estuvimos ahí dentro. Entonces, ¿mil novecientos treinta y tantos, dices? Sin despertar aún de la pesadilla de los cuartelazos, con un campo como chinampina y sin verdaderas instituciones. ¿Lo has meditado, Domínguez? Hubo desde que inventar un nuevo lenguaje para mis discursos.

—En lo que más debe haberse divertido, por cierto. Digo, me parece.

—Casi como en el inicio del mundo, Domínguez: nombrar las cosas por primera vez, señalarlas, diferenciarlas. Esto se llama así, aquello es malo, hace daño, esto es bueno, hay que producirlo y comerlo. Como con los niños.

—Era quizá la infancia del país. Qué ternura.

—¿Te das cuenta lo que le he dado a este país y lo que él me ha dado a mí? Puse los cimientos. "Los hombres deben de ser meros incidentes sin importancia real al lado de la serenidad perpetua y augusta de las instituciones y las leyes." ¿Te acuerdas?

—Su primer discurso, señor. Hasta se me puso la piel chinita de la emoción. "Cuando en las cámaras estén representadas todas las tendencias y todos los intereses legítimos del país; cuando logremos por el respeto al voto que reales, indiscutibles representativos del trabajador del campo y de la ciudad, de las clases medias y submedias e intelectuales de buena fe y hombres de todos los credos y matices políticos de México ocupen lugares en la representación nacional . . ."

—Ya párale. Lo dices horrible.

—Perdón, señor. Yo también me lo sé de memoria.

—Seguramente mi mejor discurso.

—Seguramente.

—Y no será muy distinto al último. No debe serlo. Lo estoy pensando . . . y en el último discurso que he de decir —porque he de decir un último discurso aunque no queramos— voy a autoplagiarme algunas de sus frases. Ah, te vas a sorprender de cuáles. Como lo oyes. Total, ya has pescado varios autoplagios, ¿no?

—Varios, señor. Pero, bueno, finalmente es usted mismo quien los dice.

—Tengo que cerrar el círculo. Un círculo perfecto.

—Señor, a qué viene, ahora . . .

—Es cierto, a qué viene. Hablábamos de la continuidad. Razonemos.

Cuando dice razonemos ya sé lo que me espera, no tiene remedio. Los primeros años tenía que tomar nota de todo; hoy por suerte nomás lo grabo. También era común antes que dijera razonemos y nos amaneciera razonando; algo horrible: la cólera amarilla del sol que nacía filtrándose por las cortinas y yo sin siquiera poder bostezar porque se ofende.

—Sin aquel discurso no entenderías los que pronuncio hoy, Domínguez. Velo. Es cierto, era inevitable, no todo ha podido realizarse y aún tenemos millones de analfabetos, de indios descalzos, de marías, de harapientos muertos de hambre, de niños que se mueren de frío en los camellones de Insurgentes, de subocupados que lavan coches o limpian parabrisas en los altos. Es cierto, pero también hay millones que de entonces para acá pudieron ir a las escuelas que tú y yo les construimos; millones para quienes se acabó la tienda de raya y se abrió la industria urbana. Piensa en ellos, Domínguez. Millones que sin ti y sin mí hubieran sido barrenderos y hoy son obreros calificados, que hubieran sido criadas y hoy son mecanógrafas que ahorran para, por lo menos una vez en su vida, viajar a Europa. Los campesinos de ayer son los obreros de hoy y los hijos de esos obreros deben de ser los profesionistas de mañana. Encuéntrale la continuidad a mis discursos, Domínguez. Ayúdame. Si no es a ti a quién carajos le va a importar lo que digo.

—Lo sigo, señor, lo sigo. Y lo admiro, señor, lo admiro.

—Sin aquello que dije e hice hubiéramos valido para una pura chingada, por decirlo en los términos técnicos que ahora tanto les gustan. Los errores de después son lo de menos. Incluso los errores que pudo crear, y crea, mi irremediable vejez. Fue en esos años cuando levantamos la base que nos sostiene: una clase media verdadera, integrada, estable, demandante pero participativa, que jaló a los miserables de abajo y detuvo a los hijos de puta de arriba, que sólo pensaban en hacerse cada vez más ricos. Fíjate lo que dije, Domínguez, es una lástima que no pueda usar estos términos públicamente.

—Cómo le iban a aplaudir, señor. Perdón por la broma.

—Cuál broma, tienes toda la razón. El problema es que hoy más que nunca necesitamos a los hijos de puta de arriba. Ah, pero la clase media que los amortigua, que es como nuestra conciencia nacional, la verdadera y nueva mexicanidad, ésa no se las quita ni Dios. Vamos, ni la Iglesia. ¿Lo ves? Esa gente que hoy invade y enmierda las playas y los cines y los parques, ante la repulsión de los exquisitos, es la única obra concreta de la Revolución, y casi diría que nos redime y nos salva.Porque le es más útil a México esa gente como trabajador que como campesino o limosnero, aunque nos llene las ciudades con el smog de sus autos viejos e impida el acceso al Metro. Y mira que no he mencionado para nada la palabreja ésa de dizque justicia social, para que compruebes que te estoy hablando con el estómago y muy lejos de endilgarte un discurso. ¿Qué puedes decir a eso? ¿O qué dirían mis enemigos?

—No sé, quizá algo mencionarían de la burocracia y sobre todo de la corrupción. Perdóneme, fue lo primero que se me vino a la mente.

—¿Qué querían? Antes medio que seleccioné lo mejorcito que había a mi alrededor. Pero santos no encontré, me cae. Para construir lo que construí, es cierto, tuve que formar una casta privilegiada de funcionarios públicos que además de medio pendejos resultaron ladrones. ¿Y qué otro material tenía yo a la mano? ¿Alemanes calificados, suecos con altas especializaciones, franceses con doctorado en la Sorbona? Hijos de puta. Ya quisiera ver a esos que me critican organizando y salvando un país de mexicanos y para mexicanos, carajo.

—Sí, suena durísimo.

—Y que no mamen, Domínguez. Así como necesitamos a los hijos de puta del dinero, necesitamos a los Estados Unidos. Entre las muchísimas cosas que me debe este país está la imagen de estabilidad que, con sus altas y sus bajas, le he dado durante más de sesenta años y que cambió radicalmente nuestra relación con Estados Unidos. Hoy, a pesar de presiones y atropellos, podemos mirar al gigante junto al que habitamos con mayor tranquilidad y seguridad en nostros mismos, sin el temor a que se enoje y nos aplaste. Mira un poco hacia atrás. Hace tan sólo ochenta años el presidente Taft planeaba invadir territorio mexicano si no caía el gobierno de Madero. Y la invasión a Veracruz es del catorce.

—Usted y yo éramos ya unos jóvenes en cierne.

—Del catorce a la fecha: apenas un parpadeo de la historia.

—Un suspiro más bien por la nostalgia que

me despierta.

—O un eructo: intentos por resolver una mala digestión.

—Eso fue lo que heredó usted, señor: una mala digestión histórica.

—Y si quieres llevar la imagen a sus últimas consecuencias, puedes decir que mi administración ha sido un simple pedo en la historia de México. No me importa con tal de que a partir de ahora empecemos a digerir mejor.

—Me quedo con lo del parpadeo.

—Aunque aún tímidamente y con todos los riesgos del mundo, hoy podemos empezar a negociar con el gigante en lugar de sólo actuar a la defensiva, como veníamos haciendo desde mil ochocientos cuarenta.

—Digamos que hasta el Tratado de Libre Comercio es producto de su madurez.

—Quieres decir de mi vejez, pinche Domínguez.

—Señor, yo sería incapaz. Madurez no es lo mismo que senilidad. Hay hombres cuya lucidez aumenta con los años. Hasta las comunidades primitivas confiaban en sus viejos sabios. Por eso es hoy, quizá, cuando más puede usted beneficiar a México con su riquísima experiencia.

—Deja de lambisconear y sigue leyendo.

—En la democracia mexicana, continuación y coronación de nuestras jornadas de Independencia y de nuestras luchas de Reforma y de los afanes de la Revolución maderista, está el remedio de todos los males que padecemos.

—Habría que subrayar la palabra todos al imprimirlo. Anótalo. ¿Es el de septiembre de cuarenta y uno?

—Sí, y lo curioso es que repite la misma idea, redondeándola, diecinueve años después.

—Otro dizque autoplagio. Te encanta pescarlos.

—Le digo, redondea la idea.

—Un autoplagio diecinueve años después: para que luego digan que no hay coherencia y continuidad en mi ideario político.

—Escúchese, señor: "Este año de mil novecientos sesenta tiene para los mexicanos un triple significado conmemorativo; hace ciento cincuenta años el país inició la lucha por hacerse independiente. Hace cien años el pueblo afrontó, en la Reforma, la empresa de formar una comunidad de hombres libres incorporada a la historia del mundo moderno; y hace cincuenta comenzamos la transformacion más honda de nuestra sociedad en sus sistemas político, cultural y económico, para crear formas de vida acordes con la dignidad y el destino del pueblo mexicano. El sentido de la historia de México, entre sus diversas etapas, advierte la secuencia que le da carácter y unidad."

—Qué bárbaro. Hoy podría repetirlo tal cual, treinta años después, ¿te das cuenta? Carácter y unidad, me encantó la idea, me la voy a volar. ¿Tú soñaste con seguir en el poder treinta y tantos años después de haber dicho lo anterior, Domínguez?

—La verdad, no. O mejor dicho, seguir a su lado, y con usted vivo, es lo que me parece un sueño.

—A mí también. Ya verás que dentro de treinta años volvemos a decir lo mismo.

—Señor, no se si sea posible. Yo por lo menos . . .

—Tú conserva la fe y verás que es posible.

—Estaríamos hablando del año dos mil veintitantos y usted estaría a punto de cumplir nada menos que cien años al frente del país.

—¿Imaginas el fiestón, aquí mismo en Palacio? El mundo entero se asombraría. Ni don Porfirio soñó una celebración así.

—No, supongo que no.

—Bueno, sigamos. El único compromiso posible con el futuro —y qué futuro, ¿eh?— es dárselo todo al presente. ¿Tienes algo más?

—Sólo un breve párrafo de su discurso de septiembre de sesenta y ocho que le quería comentar para ver si quiere incluirlo en…

—Qué pinche tino el tuyo hablarme del sesenta y ocho ahora que estamos soñando con el dos mil veintitantos. Siempre serás el mismo aguafiestas, cómo he podido soportarte tantos años.

—Señor, por favor. Oiga nomás: "Qué grave daño hacen a México los modernos filósofos de la destrucción que están en contra de todo y a favor de nada. Lo reconozco: tienen razón los jóvenes cuando dicen que no les gusta este imperfecto mundo que vamos a dejarles. Pero no tenemos otro, y no es sin estudio, sin preparación, sin disciplina, sin ideales y menos con desórdenes y violencia como van a mejorarlo."

—No es malo, ¿eh?

—Le digo. Amarra dos que tres ideas que si las dijera ahora le aplaudirían los que entonces le silbaron.

—Sobre todo porque la mayoría de ellos ahora trabajan para nosotros, ¿no?

—Y porque muy poco tiempo después usted mismo, en la Universidad Nicolaíta de Morelia, hizo una condena sibilina de la intolerancia e intransigencia del gobierno ante las justas demandas estudiantiles.

—Me critican por etapas los muy pendejos y apenas si se huelen el fondo de mis intenciones. Te estás quedando dormido, pinche Domínguez.

¿La salud del Señor Presidente? La calificaría de perfecta si no fuera por esas crisis —¿estarían de acuerdo en que a partir de este momento las llamemos espirituales?— y la gastritis intermitente, que por lo demás es una condena desde hace muchísimos años. Más a dieta no podemos tenerlo: pollito y arroz hervidos, papas al horno, aguas de frutas sin azúcar. En ese sentido no hemos tenido ningún problema, dada su férrea voluntad. "Todo se lo debo a la disciplina", dice y de veras sólo come lo que la dieta prescribe, ni siquiera una galleta de más. "No es la comida lo que me va a derrotar", clama con un gesto tan duro que parece ir a romper el plato que tiene enfrente. Hubo épocas, ustedes lo recordarán, en que se jactaba de ser medio glotón, o comer lo que fuera en cualquier parte, muy especialmente cuando las largas giras por el interior del país en los años treinta. Se metía a los jacales más humildes y festejaba lo que le sirvieran. Pero luego empezaron la indigestión y la acidez y tuvo que cuidarse. En los sesenta literalmente tomaba las decisiones con el estómago —aunque en el mero mero sesenta y ocho más bien diría que era con el hígado— y por eso necesitaba del carbonato tres veces al día y al poco tiempo hasta un tumor canceroso tuvieron que extirparle de por ahí. Pero lo superó. Y unos años antes fueron las migrañas, una pesadilla peor que le provocaba una tensión insufrible.

¿La gastritis? Es espantoso: la acidez que asciende y desciende por el esófago y abajo empieza a quemar, dice. El dolor reflejo, punzante, en la boca del estómago. El latir desordenado del corazón. El peso muerto en la nuca y en los hombros —hasta a veces tememos que pudiera ser un infarto. El sudor pegajoso y frío de las manos. Las sienes que le van a estallar porque enseguida se le sube la presión arterial. La pastilla de *Ranisen* que se le detiene en la glotis y lo pone al borde del ahogo. Levante usted las manos, por favor Señor Presidente. Le doy golpecitos en la espalda hasta que la saliva desintegra la mezcla de polvos y celulosa y pasa con un sabor amargo a monedas viejas, dice, y que casi lo hacen vomitar. Los nervios que se le crispan. Por eso también le recetaron un *Valium* de diez miligramos, que aunque lo relaja también lo aletarga, le dificulta toda actividad, y a las pocas horas lo reintegra a una nueva y mayor tensión: irresuelta, banal e infecunda.

Pero cuanto más lo ven los médicos y fracasan en querer arreglar lo que no tiene remedio —su edad—, es más evidente, dicen, que ya sólo le queda un leve soplo de vida. Pero nos consuela a mí y a sus colaboradores más cercanos —los que verdaderamente lo queremos— saber, desear, imaginar que aún ese último soplo será en él de una autoridad inapelable y devastadora. A él mismo parece intimidarlo por momentos esa facultad innata de mando y, dice, debe aplicarle la brida que recomiendan para el caballo brioso porque de otra manera se desbocaría y se pasaría el día dando órdenes, sin hacer ninguna otra cosa. Está en todo y en todo quiere estar y todo necesita averiguarlo y resolverlo. De lo político, económico y administrativo a lo ecológico y ambiental, pasando por lo industrial, lo demográfico, lo educativo, lo social, lo periodístico, lo deportivo, lo religioso, lo astral, lo científico, lo artístico, lo policial y hasta lo puramente exterior, en lo que por desgracia no puede intervenir. Qué capacidad de trabajo, le digo, de entrega, de vocación de servicio. Por eso también cuanto más ciertos parecen los rumores de su muerte algunos días, más vivo y autoritario se le ve reaparecer para imponerle rumbos imprevisibles a los destinos de la patria. "Salvar a los mexicanos de sí mismos", dice el historiador José C. Valadés que confesó el Señor Presidente en una reunión entre amigos allá por los años treinta. No lo dudo; lo maravilloso es que sesenta años después lo pueda continuar diciendo con tal convicción ante una población de mexicanos tan distinta a la de entonces, tan numerosa, demandante y participativa como nunca antes lo había sido.

Quizá también por eso últimamente su mayor preocupación, su verdadera preocupación —más, mucho más que el Tratado de Libre Comercio, el pago de la deuda o el control de la inflación—, es todo lo que tenga que ver con votaciones y elecciones en el país —aunque omita el tema en los discursos o en las entrevistas periodísticas y en privado haga la broma esa de llegar al año dos mil, lo que francamente. Y esto sí que tiene que ver muy directamente con su salud, porque nunca desde que lo conozco le obsesionó así algo. Casi estoy seguro, el tema se le cuela a los sueños. No me lo ha dicho, es el tipo de confidencias que nunca diría, pero lo intuyo. La cotidianidad nos vuelve brujos con quienes amamos y yo creo, a veces, adivino sus sueños. Sobre todo los que le angustian: ésos le dejan un lastre en los ojos que lo delata. Antes, ¿no a raíz de algún leve conflicto electoral —antes siempre eran leves— llegó a calificarlos de melindres frente a los problemas verdaderamente graves del país? ¿Será entonces que ya se cansó —los melindres se le han vuelto toda una representación— y hasta está dispuesto a que en las próximas elecciones presidenciales el pueblo elija libremente, como le insinuó al hombrecito ése, y por eso también prepara el terreno propicio: Baja California, Guanajuato, San Luis Potosí, Michoacán, además del arreglo que hizo con Chihuahua? El mero fondo, sólo él sabe. Pero bueno, uno se entera de algo quiera que no, estando todo el tiempo a su lado. Al candidato a gobernador por Chihuahua lo mandó llamar justo el día de las elecciones —después de que el pobre se había tomado muy en serio su campaña, hasta ternura me dio— y le dijo: tenemos que perder, no me importa lo que digan las urnas, tenemos que aprender a perder y que los mexicanos sepan que estamos empezando a perder, que no somos eternos; además, sólo así podremos ganar en donde no podemos perder. Lo siento por usted, joven, por su trabajo y entusiasmo invertidos, pero le aseguro que la patria sabrá algún día recompensarle su sacrificio. Pues sí, Señor Presidente, ni modo, contestó el candidato a gobernador, muy cabizbajo, lástima que fuera ahora en que de veras íbamos ganando; al contrario de hace seis años en que sí perdimos abiertamente y dijimos que ganamos.

Y fue precisamente sobre ese tema que vino el hombrecito a ponerle la mosca en la oreja, en maldita sea la hora.

☛

¿Cómo fue que sucedió? Desde hace unos días le dio por pararse ante el balcón de su despacho y a través de los visillos mirar el Zócalo. Con cualquier pretexto, y hasta sin pretexto, se paraba ahí y se estaba todo el tiempo que le era posible. Comentaba detalles y alcanzaba a ver lo que yo ni en sueños. Grupitos de mujeres enrebozadas, por ejemplo, que cruzaban las rejas de catedral, se detenían un momento en el atrio y desparecían fantasmagóricas por la puerta del sagrario. ¿Las viste, Domínguez?, preguntaba señalándolas mientras yo continuaba en babia. Viejas agoreras, han de estar rezando para que nos gobiernen desde Roma, las adivino. Las campanadas de catedral le han producido siempre, dice, la sensación de viajar en el tiempo. Más que oírlas tal parece que las viera, como burbujas de oro que le estallan ante los ojos y le traen algún esplendente recuerdo. (Después de una crisis, al empezar a recuperarse oyó las campanadas de catedral y dijo, nunca lo olvidaré: "si he muerto, el tañer de esas campanas me hubiera llevado directamente al cielo". Resulta significativo que fuera precisamente en su vejez cuando modificara el artículo ciento treinta de la Constitución y reanudara relaciones con el Vaticano: quizá no mira de la misma forma las cosas de la religión el joven impetuoso que peleó contra la Iglesia Católica, que el anciano reflexivo que se siente a las puertas del más allá.) Por lo demás, cuando estaba de humor hasta me contaba algunos de esos recuerdos —ceremonias, desfiles, manifestaciones—, o de cómo se fue transformando el Zócalo —que antes tenía pegasos y jardines—, de cuando mandó construir el Palacio de Justicia, en mil novecientos cuarenta. De las modificaciones a los edificios que nos rodean. Le encanta suponer que lo escucho por primera vez, como si no le hubiera escuchado ya todo y no hubiera estado a su lado al hacer cuanto ha hecho.

Fue una tarde en que un sol pálido resbalaba por las construcciones de tezontle y cantera cuando él bajó los ojos y se fijó en lo que de veras le importa: las marchas de protesta que inundan el Zócalo —"un día no van a caber ahí y se nos van a meter aquí"—, lo erizan con sus carteles y lo vuelven multicolor con las tiendas de campaña improvisadas; caja de resonancia con los gritos de protesta, que suben a las oficinas, rebotan en las paredes y nos sacuden y golpean los oídos todo el santo día. En ese momento teníamos petroleros, profesores, michoacanos, pescadores, tabasqueños, refresqueros y otras marchas pequeñas que no faltan: llegan de algún pueblito de los alrededores a quejarse por cualquier cosa, es una lata. En una de éstas llegó el hombrecito.

—¿Ves el tercer grupito de izquierda a derecha, cerca de la carpa anaranjada de los petroleros, Domínguez? Trae una manta que dice algo de "Agüichapan protesta".

—Más o menos, señor —cuando no está uno seguro de algo es mejor confesarlo desde el principio porque si no luego resulta contraproducente.

—Al centro hay un hombre vestido de negro, sentado junto a la manta.

—Ah jijo, ése no alcanzo a verlo.

La pregunta me mareaba. Con esfuerzos lograba ubicar el grupito y la manta con las letras rojas, confundiéndose entre muchas otras, pero me resultaba imposible distinguir a una persona en particular. ¿No son admirables a su edad los ojos del Señor Presidente, que ven lo que nadie más? Nomás por sus ojos me parece un predestinado de Dios.

—¿Ves la manta?

—La manta sí.

—Exactamente abajo, al centro.

—Hay varios al centro, señor —contesté con toda la pena del mundo.

—Pero el del mero mero centro, pendejo. ¿Estás ciego? Fíjate bien, trae hasta chaleco oscuro y contrasta con los trajes de manta de los campesinos como una mosca en la leche. ¿Ya lo viste?

—Ahora sí, señor —aunque más bien quería hacerme creer a mí mismo que lo había visto—. Claro, es notoria su diferencia.

—Averíguame quién es y por qué está ahí, pero sin molestarlo a él. Habla con la gente que lo acompaña. Quiero detalles, todos los detalles. Y enseguida.

☛

No fue difícil ubicarlo y preguntar sobre él. El problema fue que casi no averiguamos nada. El primer informe que le llevé al Señor Presidente contenía, en lo fundamental, sólo aspectos negativos. Había llegado hacía unos meses al pueblito de Agüichapan, Puebla, y nadie sabía de dónde ni por qué. No era vendendor ambulante. No era prófugo de la justicia. No era casado y no buscaba burdeles. No era juerguista ni bebedor. No asistía a las peleas de gallos ni a las corridas de toros. Comía frugalmente y casi sólo verduras. Por lo demás, manifestó enseguida una curiosidad sin límites por la gente y las circunstancias del pueblo. Quería saberlo todo: quiénes eran los más pobres y quiénes los más ricos y por qué y desde cuándo; si el jefe de policía, el presidente municipal y el sacerdote eran íntegros y queridos y cuáles eran las quejas de la gente hacia ellos; cómo se cumplía con los deberes civiles, con la moral y con el trabajo, qué formas en particular adoptaban la amistad y el amor en el pueblo. Le conmovió la falta de agua que se padecía, el mal sistema de limpia en las calles —foco de todas las infecciones—, las promesas incumplidas del gobierno sobre el sistema de luz eléctrica. A los pocos meses todo el mundo conocía a don Cipriano (aunque nunca mostró ninguna identificación y ni siquiera estaban seguros de que así se llamara en realidad) porque ayudaba a los niños desamparados, invitaba a comer a los vagabundos a la casita en las afueras del pueblo en que se instaló y prestaba dinero (nadie sabía bien a bien de dónde lo sacaba) a todo el que se lo pedía. Lo llegaron a querer tanto que la gente misma lo propuso como candidato independiente a la presidencia municipal, pero él no aceptó y sólo los ayudó y apoyó para que eligieran a alguien con verdadero arraigo en el pueblo. Supuestamente la votación fue un fraude —ganó el partido oficial— y por eso él y un grupo de voluntarios hicieron la marcha de protesta a pie del pueblo al Zócalo. Eso es todo, señor.

El coraje exacerba la turbulencia de sus ojos y, desde siempre, he tenido que bajar la cabeza cuando se pone así. Dio un manotazo en la cubierta de madera del escritorio y derramó la taza de café sobre unos papeles en los que trabajaba, lo que acabó de enfurecerlo.

—¿Qué te pasa, Domínguez, eh? Parece que hubieras entrado ayer a trabajar conmigo. ¿No han sido suficientes sesenta años para aprender a conocerme? ¡Te dije detalles! ¿Sabes lo que es un detalle o también eso tengo que explicártelo? Además te dije que me urgía, y tardas dos días en traerme esa mamada.

—No ha sido fácil, señor. La gente no quiere hablar de él.

—Pues jálales los huevos para que hablen.

—¿No sé si quiera que también lo interroguemos a él?

—¡No, no quiero que lo interroguen a él! Déjalo en paz. Quiero que interrogues bien a los que vienen con él y que a él lo sigas por las noches. ¿Ya se dieron cuenta tú y la bola de inútiles que te ayudan que por la noches él desaparece y vuelve a aparecer hasta varias horas después?

—No, señor, no se me había informado sobre eso.

—"No se me había informado sobre eso ..." ¡Pues entérate! Si no me entero yo personalmente, en este país nadie se entera de nada. Ya me tienes hasta la madre con tu ineficiencia, pinche Domínguez, no sé cómo te he podido aguantar tantos años.

☛

Sé lo que es una investigación de este tipo y nada aborrezco más, aunque también entienda que el Señor Presidente necesite confiársela a un colaborador de su absoluta confianza, como soy yo. Precisamente recién entré a trabajar con él me tocó ayudar en la investigación del atentado que sufrió el cinco de febrero de mil novecientos veintinueve, de manos del tal Daniel Flores, y que le provocó una herida profusa en el maxilar. Daniel no intentó escapar, rodeado de gente y de soldados. Preso, lo llevamos primero a la Sala de Banderas y después a los separos de la jefatura militar. Sin una gota de duda, declaró ser el único responsable del atentado, vasconcelista convencido, vengador del fraude electoral, actuó por su cuenta y riesgo, nada más. Pero como no le creímos nos lanzamos a la calle en busca de los supuestos implicados. Ahí empezó la primera pesadilla que he padecido en este empleo ingrato, y que yo tampoco entiendo cómo he aguantado tantos años.

Rastreamos la ciudad noche y día como el cazador obsesionado con su presa. Cayeron en nuestras redes todos los vasconcelistas posibles: estudiantes, viejos generales, obreros, profesores, empleados de oficina. No cabían ya más sospechosos en las bartolinas de la Inspección de Policía. Pero nada se aclaraba y hubo que torturar a la mayoría de ellos, algo que en verdad se me ha vuelto repulsivo y me impide tragar bocado después —entiendo que se haga y se tenga que hacer en cualquier país del mundo, pero no por ello lo rechazo menos— y que ahora, con el lío este del hombrecito, tuvimos que repetir con algunos de sus compañeros (y muy discretamente para que no se enteraran los otros; simplemente a tres de ellos los hicimos desaparecer del grupo).

El tradicional es el mejor sistema: poner a los implicados en cuatro patas, encuerados, y jalarles los huevos hasta que hablen. Pero hasta los sistemas de tortura se han ido sofisticando y hoy preferimos los toques eléctricos, la pozoleada (meterles y sacarles la cabeza de un tambo de agua), el tehuacán en las narices o los simples golpes surtidos en el cuerpo, de preferencia en sitios que cubra la ropa.

Así y todo fue poco lo que pudimos averiguar y hubo necesidad de enviar investigadores al propio pueblo: enriquecer el informe con más entrevistas y el cateo profuso de un par de casas. Además, claro, de seguir al hombrecito por las noches, lo que yo mismo hice después de que me dijeron que entraba y salía de los sitios sin necesidad de utilizar las puertas y más bien como pasando a través de las paredes.

☛

En el Señor Presidente el arte del disfraz ha sido consustancial al ejercicio del poder. Lo que, por otra parte, como es de suponerse, conlleva una cierta facultad histriónica, muy en especial tratándose de un mandatario con sus dotes naturales de liderazgo, una larguísima trayectoria como la suya y, sobre todo, la necesidad inaplazable de adaptarse a las circunstancias: el disfraz se convierte así en su ejercicio más eficaz y poderoso. Sin él no hubiera podido gobernarnos; además de que, supongo, le hubiera resultado insufrible. Quizá por eso al hojear el álbum de fotografías que ahora le organizo para ilustrar sus *Memorias*, se contempla a sí mismo con una cierta y muy sana distancia, hasta diría que un poco con los ojos risueños del comediante que se pregunta ¿pero de veras soy yo?, sea dicho lo de comediante en el mejor sentido del término. Sí es usted, señor, tengo que confirmarle a cada momento: ése, al que se le cae el pelo y le nace enseguida misteriosamente; el de los bigotes entrecanos cuidadosamente recortados, que en la siguiente foto los tiene oscuros; el que a veces necesita —¿jugar a?— mostrarse feo o guapo, alto o bajo, grueso o delgado, sonriente o adusto, autoritario o bonachón, el de los anteojos bifocales con aro de metal que en realidad no necesita porque tiene ojos de lince; el del jacquet con el sombrero de copa y el de la guayabera de lino; en fin, el de la corbatita de moño y el inusitadamente vestido de charro.

Quizá nada he aprendido tanto de él como ese arte, que en las averiguaciones sobre el hombrecito debía resultarme de gran utilidad ya que, como decía, debí encargarme personalmente de seguirlo en su periplo nocturno por la ciudad. Con mi overol pringajoso pude confundirme fácilmente entre los manifestantes del Zócalo (si supieran los ciudadanos comunes y corrientes, los oficinistas, los obreros, los profesores, los empresarios, los periodistas, la cantidad de veces que ando así, disfrazado entre ellos, se sorprenderían). Vencí el asco y el hedor, sus moscas invisibles (y a veces ni tan invisibles) en la cara. Hasta grité junto con ellos improperios contra el gobierno —el puño en alto y las señas obscenas, divertidísimas—, debajo del meritito despacho presidencial; improperios con una alta cualidad de desahogo, hay que confesarlo (los petroleros debían gritarlos tres veces al día para ganarse la comida). Supe de sus quejas y reclamos más hondos (lo que en un funcionario de mi rango nunca está por demás) y en alguna de las carpas compartí un delicioso pozole, haciendo cucharita con la tortilla de maíz (que una mujer echaba a nuestro lado: en lo que hemos convertido el Zócalo, Dios mío), recreándome en una patita de cerdo, que son mi debilidad. Por supuesto, nunca perdí de vista al hombrecito, que duraba horas en la posición esa de medio loto (con traje y chaleco oscuros, bajo los embates del sol, qué mejor protesta y penitencia) y únicamente al anochecer bebía una taza de café, muy serio y hablando apenas, entre rostros afligidos y como de bronce por el reflejo del fuego de la hornilla.

En efecto, como a las doce se alejaba del Zócalo. La noche en que lo seguí —con luna, por suerte—, bajó por Madero —galería de cortinas de hierro a esas horas—, entró y salió de alguna calle lateral, o se quedó un rato ante una fachada o una gran puerta de madera, como si le recordaran algo. También lo mismo se asomaba al interior de una vecindad, acariciaba con una ternura desesperante el lomo de un gato adormecido en un escalón, que recogía algunos de esos trozos de periódicos manchados —que son como la resaca del día—, y les echaba un vistazo, muy extraño tipo.

Anduvo por la Alameda y se quedó un buen rato en la esquina de Juárez y el Eje Central, frente a Bellas Artes, sitio desde el cual también podía contemplar —siempre como obnubilado—, el Banco de México, la Torre Latinoamericana y el Sanborn's de Madero.

Intempestivamente, tomó un taxi. Lo seguimos mi gente y yo, por todo Insurgentes rumbo al sur. Se bajó en el monumento a Obregón y por un momento se nos perdió de vista, ante nuestro terror (aunque ya llevábamos adelante y atrás otros autos que nos apoyaban y que, discretamente, mantenían la zona rodeada). Uno de mis hombres dice que lo vio entrar al monumento, pero esto no lo pudimos confirmar.

Regresó y se subió al taxi que lo esperaba. Continuó por Insurgentes y se bajó a la entrada de la Universidad. A partir de ahí continuó a pie por los jardines, lo que está prohibido a esas horas, además de lo peligroso. Entonces comprendí y comprobé su intención (ya me habían informado de ella), que primero me provocó una sonrisa, pero luego me pasmó cuando supe que ya estaba adentro: iba a la hemeroteca.

—Pero si está cerrada.

—Pues está cerrada pero él ya entró y con una lámpara de pilas revisa unos periódicos viejos y toma notas en un cuaderno. Se lo dije, señor: es lo mismo que hizo anoche. Hasta los vigilantes de aquí de la Universidad lo vieron, pero como usted ordenó que no le hiciéramos ni le dijéramos nada y nomás lo siguiéramos . . . —explicó uno de mis ayudantes, con el asombro convertido en satisfacción al demostrar la veracidad de su informe y obligarme a una disculpa por mis gritos, insultos y amenazas de despido del día anterior.

Unas horas después el hombrecito salió, tomó otro taxi en Insurgentes y regresó al Zócalo.

No fue difícil sustraerle al día siguiente el cuaderno en que tomaba las notas (uno de sus propios compañeros nos lo consiguió). Con él y con las entrevistas realizadas pude escribir un informe un poco más completo, me parece.

¿Cuál era la actitud del Señor Presidente el día en que se lo leí? Confieso sin ambages que nunca lo había visto en tal grado de agitación —apenas si probó bocado y canceló todos sus acuerdos de la tarde—, al grado de que como podrán suponer, yo que lo conozco tanto, temí lo que finalmente sucedió: que se enfermara. ¿Pero cómo podía impedirlo? ¿Debí informar antes de la lectura a su médico? Imposible. El Señor Presidente es de una intolerancia absoluta cuando algo se le mete en la cabeza. Aunque creo que la palabra absoluta no es la adecuada. Diría mejor despiadada. Despiadada intolerancia. Con todos y consigo mismo, muy en especial consigo mismo. En eso es de una coherencia sin fisuras. ¿Recuerdan cuando en el cuarenta y siete recibió la visita del Presidente Truman (la primera vez que un presidente norteamericano en funciones visitaba la ciudad de México)? Pues nadie lo supo, pero en esos días padecía un agudísimo cólico nefrítico, que todavía la noche anterior lo tuvo doblado del dolor (dicen, es uno de los dolores más fuertes) a pesar de inyecciones y sedantes. Lo recordarán íntegro y formal en las fotos del día siguiente (la relación con Estados Unidos era en ese momento esencial para el país), en los discursos, en las ceremonias y en las comidas, con la copa de champaña en alto y la mejor de sus sonrisas. ¿Dónde había quedado el cólico nefrítico? Ahí, adentro de él —en algún momento me lo confesó: "pinche Domínguez, me estoy muriendo"—, pero su vocación de servicio había podido más. Tendrían que haber visto su sonrisa a los pocos días, y el comentario irónico: ¿no tanto se ha comentado de las migrañas de Morelos, que lo atacaban justo antes de las batallas? ¡Cómo iba a vencerme entonces un mugre dolor de riñones! Pero, yo digo, no es necesario estar enfermo para ser un héroe. Vamos, ni siquiera un héroe como Juárez: vestido de frac y con sombrero de copa, metido en un coche de sopandas mientras a su lado desfilaban los cactus del desierto. Basta con llegar a la edad de nuestro Señor Presidente y soportar aún el peso del país a sus espaldas, en lugar de un ya merecido descanso.

Era pues inevitable su desasosiego crispado al enfrentarse al cuaderno de notas del hombrecito —lo primero que quiso leer, arrebatándomelo con manos temblorosas, pero como no entendió la letra redonda y apretada tuvo que regresármelo para que fuera yo quien se lo leyera.

—Empieza, Domínguez, vamos, empieza a

leer esa porquería.

—No es fácil con esta letra, pero déjeme intentarlo, señor. Dice: "Celis, jefe del vasconcelismo en Tampico, asesinado a mansalva, cazado por los polizontes del gobierno al salir de una junta. Se echaron después los esbirros sobre otros miembros de la directiva tampiqueña sin respetar ni a sus familiares. ¡Sangre de vasconcelistas por todos los rincones del país y provocada por un gobierno que se decía democrático y buscaba el juego de fuerzas políticas! ¡Hipócritas! En Los Mochis cayó Quiñones asesinado en forma idéntica por una pandilla municipal, que también obedecía las inspiraciones del centro. Centro de todos los atropellos a las libertades ciudadanas, habría que llamarlo. A mediados del mes ocurrieron en Oaxaca matanzas de obreros y estudiantes. En la sierra de Chihuahua quedaron prófugos los que estaban al frente del partido; en todas partes el terror empezó a enfriar los ánimos electorales . . ." Qué barbaridad, esto ya a quién le importa, señor, debe de ser antiquísimo.

—Es del veintinueve. Síguele.

—"Ah, pero eso sí, la hipocresía de las autoridades gubernamentales seguía expidiendo órdenes en las que autorizaban a los antirreeleccionistas a hablar al pueblo en uso de sus derechos cívicos —ah, ya me acordé, y qué remedio nos quedaba sino dejarlos hablar—, lo que no impidió que empezaran los polizontes del gobierno a apresar a todos aquellos oradores que más se distinguían y que supuestamente lanzaban insultos contra el partido oficial. Como si decir la verdad fuera un insulto. Por eso lo usual desde ese momento fue que los vasconcelistas empezaran a pasar la noche en alguna Comisaría o Inspección . . ." Aquí viene un párrafo que no se entiende y luego dice: "Desde Francisco I. Madero, el pueblo no se manifestaba por un candidato a la presidencia como por el licenciado Vasconcelos".

—Míralo, se cita a sí mismo, ¿no que tan modesto?

—"Los mítines y las manifestaciones de apoyo se sucedían. En una ocasión los vasconcelistas desfilaron por la avenida Hidalgo; estaban por llegar ante el jardín de San Francisco cuando en sentido opuesto apareció un coche a toda velocidad. Llevaba placas oficiales. Sin dar tiempo a reaccionar, acercándose a los manifestantes abrió fuego sobre la masa humana: hombres, mujeres y niños. Tiraban con ametralladoras. El primer impulso de la muchedumbre atacada fue replegarse contra los muros, buscar refugio tras los árboles. Una chiquilla, vendedora ambulante, había soltado la bandeja de su mercancía y trataba de rescatarla cuando lanzó un ahogado gemido, levantó una de sus manitas como si tratara de prenderse del aire mismo, y cayó inerte sobre el asfalto . . . " Para que luego digan que nosotros somos los melodramáticos, señor. "El fuego seguía. De Campo, un joven vasconcelista entusiasta, con altas capacidades de liderazgo, adelantándose, gritó: ¡Si nos han de matar que sea de frente!" Sí, cómo no, igualito que Bernardo Reyes frente a la puerta de Palacio en el trece, eh. "En ese instante se acercó a él un individuo quien, a quemarropa, en la nuca, le descerrajó un tiro. Cayó sin una queja." ¿Quién podía constatar la falta de la queja, carajo? Perdón por lo de carajo, señor, pero es que este lenguaje... "El coche de la muerte había pasado como aletazo fúnebre, pero el número de su placa había sido inscrito. Instantes después uno de los compañeros de De Campo —también vasconcelista, maderista, antirreeleccionista de corazón— cruzaba la avenida Juárez cuando vio, detenido por el tránsito, al coche presidencial y en él al mismísimo Señor Presidente. Hollando el protocolo que la muerte hacía olvidar, saltó al estribo y abrió la portezuela... " De esto sí ya me acuerdo muy bien, señor, yo iba junto a usted.

Pero el Señor Presidente no me escuchó y fue

cuando comencé a notarlo francamente mal. Había palidecido y se pasaba las manos por el rostro y por el cabello, casi mesándolo, enjugándose las gotas de sudor que le perlaban la frente con un movimiento tan brusco como el de apartarse un mal bicho.

—¡Es él, es él! ¿Te das cuenta? Esto no es un juego. Tenía esperanzas de que me hubiera equivocado, pero es él... Dios mío, y ahora... ¿Qué quiere? ¿A qué ha venido?

—Quizá mi informe pueda aclarárselo un poco, señor.

Pero no me escuchaba.

—Por eso le afectó tanto lo de Vasconcelos ¿lo ves? Fue su amigo y de los pocos que lo apoyó hasta el final. Y por eso apuntó los tres nombres juntos: maderista, vasconcelista y partido antirreeleccionista. ¡Pero si es de una claridad horrenda! Y luego esa matanza con ametralladoras y el estudiante muerto y el que se me trepó al auto, ofrendando su vida. ¿Qué se creen él y sus seguidores? ¿Cristos? ¡Carajo!

—Señor, le aconsejo que tome su *Valium* si quiere que sigamos leyendo. No vaya a ser la de malas y le venga el malestar de cuando se excita demasiado.

—Sí, dame un *Valium* y sigue leyendo, sigue leyendo.

Toqué el timbre y en lo que traían el medicamento, el Señor Presidente me arrebató el cuaderno y lo miró acercándolo mucho a los ojos, volteándolo a uno y otro lado, comprobando la textura de las tapas, pasándoles las puntas de los dedos a las hojas con una caricia tímida, recorriendo las letras como si se tratara de un texto en Braille.

Un momento después continuamos.

—"El estudiante entró a la fuerza al auto y con frases desgarradoras le expuso al Señor Presidente lo acontecido, reclamando justicia, indicando a los culpables." ¿Recuerda todo esto, señor? Así fue como sucedió. Realmente tal parece que el propio hombrecito hubiera estado ahí dentro del auto, a nuestro lado.

—Deja tu pinche humor negro para otra ocasión y síguele.

—Señor, en realidad yo lo dije en serio.

—Peor. Síguele.

—"Su emoción debe haber obrado sobre el Presidente…", y fíjese en la metáfora señor, es una leperada: "tanto como la sugestión, la falsedad, que determinan al mal actor. El Señor Presidente se conmovió, hizo sentar al joven a su lado para que detenidamente expusiera los hechos, y dando nueva orden al chofer se hizo acompañar por el transido vasconcelista hasta la Inspección de Policía, dando en su presencia las órdenes que deberían hacer justicia. Dio también su palabra de honor".

—¿La dí?

—Supongo. Pero vea nomás lo que le pone enseguida: "¡Con qué abundancia hizo el Señor Presidente circular esa moneda falsa! ¡El honor! ¡Su honor! Si algún concepto tuviera del honor, más se acercaría al admirado por los griegos, hecho de astucia, de fraude, de dolo, de maniobras . . ."

—Ya párale. Bríncate ese párrafo.

—"En tanto, la policía tenía entre sus manos al asesino, el número de la placa y el nombre de uno de los tripulantes. Era Gonzalo N. Santos, miembro prominente del partido oficial. Bastó eso para que se inventara un complicado embrollo con el objeto de justificar que no había caso para proceder." Y aquí tiene una nota al pie de página: dice que el único error de Vasconcelos fue, después del descarado fraude electoral que sufrió, no seguir luchando desde su partido antirreeleccionista. Ese partido sería hoy posibilidad importante en la salvación del México democrático, ante la ya decrepitud absoluta del partido oficial, concluye.

—Decrepitud... Él ha de estar muy joven, habiendo nacido en mil ochocientos setenta y tres. Me siento mal, Domínguez.

Todavía era un ligero malestar. Achaqué el sueño y el sopor al *Valium* —en otras ocasiones le ha sucedido—, lo recosté en un sofá y durmió unos minutos; pero lo reconozco, es cierto: debí desde ese momento llamar al médico. Despertó agitado —yo mismo le tomé la presión y la tenía un poco alta— y ordenó que continuáramos la lectura enseguida, quería leerlo todo de una buena vez, tragarse el veneno de golpe.

—¿Te das cuenta del daño que quiere provocarme, Domínguez? Él, él.

—Pero, señor, ¿quién va a enterarse de esas mugres notas del hombrecito, además basadas en documentos y periódicos que ya todos conocemos?

En sus ojos, muy abiertos, nació una nueva luz: la luz de un miedo que no sospeché en él.

—No es quién se entere aquí, Domínguez. Es allá, allá.

—¿Allá?

—Allá —y miró hacia lo alto.

—Con más razón, señor, debe tomarlo con calma. Si no lo toma con calma, llamo al médico.

—No, por favor, Domínguez, es lo peor que podría pasarme, ahora no lo soportaría. Ayúdame.

No lo he dicho, pero a veces en sus derrumbes emocionales se pone así conmigo: como un niño asustado, ávido de apapachos.

—Lo voy a ayudar, pero me va a hacer caso. Vamos a leer esa porquería por partes. Y usted ahora va a descansar o a trabajar en otra cosa. El secretario de Educación está desesperado por hablar con usted sobre los libros de texto y usted le canceló el acuerdo.

—Imagínate, los libros de texto… Me van a recordar lo mismo. No seas cruel, Domínguez. Vamos a leer un poco más, por favor.

—Bueno, ¿pero promete estar en absoluta calma? Y sólo unas páginas más. Tiene que comer y descansar, señor, de veras se va a enfermar. Piense en lo que sería para el país que ahora, precisamente ahora, usted se enfermara. Todo por esta tontería —y señalé el cuaderno.

—El problema es que no es ninguna tontería, ya verás.

Así que seguimos, y con el capítulo de la candidatura en el cuarenta de Juan Andrew Almazán —quien, es increíble, lanzó una campaña contra los ejidos, contra la CTM, contra la expropiación petrolera y contra la dizque antidemocracia del partido oficial. El hombrecito copiaba uno de los testimonios más nefastos que se han publicado contra nosotros: el del ya citado Gonzalo N. Santos. Yo sentía el dolor del Señor Presidente en cada línea que le leía y, se lo dije, me parecía puro masoquismo; pero también es cierto que era un dolor extraño: incluso lo exaltaba, inflamándolo con quién sabe qué pensamientos o imágenes que necesitaba revivir.

—Empieza con una acotación: Gonzalo N. Santos es el símbolo de toda una época del partido oficial, y de ahí el valor invaluable de su testimonio desfachatado. Luego copia lo que, dice Gonzalo, usted le confesó en alguna ocasión: "Mi querido Gonzalo: a ti te debe el país que lo hayas salvado dos veces. La primera, evitando que Vasconcelos llegara al poder, y la segunda, evitando que llegara al poder Almazán". Y agrega: qué se puede esperar de un gobierno que cifra su salvación antidemocrática en un asesino como Gonzalo N. Santos.

—Si él hubiera tenido más Gonzalos no le hubiera sucedido lo que le sucedió y no nos hubiera dejado en el poder a Huerta.

—En fin, dice aquí que antes de que se celebraran las elecciones del cuarenta Gonzalo insistió con el Señor Presidente para organizar grupos de choque bien armados y escogidos. "Podemos reunir a unos quinientos golpeadores de la mejor estirpe y en la víspera de las elecciones asaltar los comités almazanistas, tirotearlos y con ello infundirles miedo ..." Y aquí pone el hombrecito una acotación: sólo una sociedad sin miedo, libre, digna y enterada puede ejercer plenamente el voto, porque quizá finalmente el problema del voto no es tanto de elección sino de conciencia. Luego sigue: "A las siete de la mañana del siete de julio, Gonzalo ya había asesinado impunemente a un almazanista en un tiroteo, como años antes asesinó a sangre fría a un vasconcelista. Pero no era el infame e inculto de Gonzalo N. Santos quien lo hacía, sino ..."

—Yo, ¿verdad? La ventaja es que ataca de frente, eh. Como lo hizo, por lo demás, con don Porfirio, hay que reconocérselo. ¿Luego?

—"Con su brigada de más de quinientos hampones asaltó casillas a punta de balazos. La gente acudía a votar en grandes cantidades y lo hacía abrumadoramente a favor de Almazán, como antes lo hizo a favor de Vasconcelos ..."

—Sí, cómo no . . .

—"... pero las brigadas de Gonzalo hacían huir a los votantes y representantes de la casilla. Tumbaban las mesas, rompían las urnas y amagaban pistola en mano. El Señor Presidente daba vueltas en su auto para enterarse de la votación. En cierto momento constató que la casilla donde debía votar estaba custodiada por los almazanistas." ¿Se acuerda, señor? Por lo menos nos aviva la memoria, que ya a nuestra edad . . . Yo mismo tuve que urgir a las brigadas a que intervinieran para que usted pudiera votar en las condiciones adecuadas. Y es que desde varias cuadras alrededor de la casilla había tiradores almazanistas en las azoteas y en las ventanas —para que luego digan que somos nosotros los que instigamos a la violencia— y a todos ellos tuvieron que abatirlos nuestras huestes gracias a las ametralladoras Thompson con que Gonzalo se abría paso. "Ábranla que ya llegó el huevos de oro, hijos de la chingada", dicen que gritaba, ya ve cómo era. "Córranle porque al que se detenga lo cazamos como venado." Poco después, dice, "arribaron los bomberos y a manguerazos de alta presión limpiaron las manchas de sangre que había por todas partes y la ululante Cruz Roja se abrió paso para levantar cadáveres y heridos. Se arregló la casilla, se puso una urna nueva y así pudo votar, decentemente, el Señor Presidente de la República. 'Qué limpia está la calle'", dice Santos que le dijo usted al salir de la casilla. Y sí se lo dijo, en esto no miente, ¿se acuerda? Y él le contestó: "Donde vota el Presidente de México no debe de haber desperdicios ni basurero." Usted sonrió —cómplice, dice él— y le estrechó la mano. Luego que usted se fue, cuenta Gonzalo: "ordené a los improvisados miembros de la casilla que pusieran la nueva ánfora de votos, pues iba a ser inexplicable que en la sagrada urna..." —y está subrayada la palabra sagrada, señor, no sé si por el hombrecito o por Gonzalo.

—¿Tú por quién crees? Continúa.

—Pues dice que iba a ser inexplicable "que en la sagrada urna sólo hubiera dos votos: el del Presidente y el del subsecretario de Gobernación". Y mire el remate de Gonzalo, para qué contarlo: "Les dije a los escrutadores: rápido, a vaciar el padrón y a rellenar el cajoncito, y no discriminen a los muertos, pues todos son ciudadanos mexicanos y tienen derecho a votar." Agrega que estuvo con usted al día siguiente, y lo encontró ¡llorando! Era un bocón, señor.

—¿Por qué dice que me encontró llorando?

—Porque usted reconocía haber perdido las elecciones, así mero. "Gonzalo, en estas condiciones, por vergüenza y por honor —otra vez el honor, dice aquí al margen— no voy a aceptar un falso triunfo." Y que usted lloró más. ¿Será? Fue además una época en que a usted le dio por dizque decirse católico, y hasta rezar, quizá como reacción a todo lo anterior. Entonces las lágrimas...

—¿Qué más dice? Me desesperas.

—Que él lo ayudó a reaccionar. "No, Señor

Presidente, usted no se puede rajar. La capital de la república siempre ha sido reaccionaria, pero ahora lo es más —acotación: ¿y en ochenta y ocho?—. Esos votos para Almazán, puede estar seguro, fueron también contra la Revolución." Y que usted lloraba y lloraba, lo que ahora sí suena exagerado. "Yo nunca traicionaré a la Revolución", clamó usted dentro de un puchero. "Y no me importa perder la vida por ella, como lo he demostrado, pero un triunfo falso como éste . . . ¡no lo acepto!"

—¿Y?

—Nada, que al día siguiente cambió usted de idea. Y dice otra acotación: ¿sorprende que la hipocresía de este hombre provocara años después las matanzas de julio de cincuenta y dos, de octubre de sesenta y ocho y de junio de setenta y uno?

—¿Cuál fue la de cincuenta y dos?

—La de los henriquistas.

—Ah, es cierto.

—Pero antes del lío henriquista trae aquí otras acotaciones, que han de ser lo que más le interesa. Dice: una burla tan dañina contra el pueblo como las armas asesinas fue que al partido oficial se le adjudicaran dos millones y medio de votos y a los almazanistas . . . ¡quince mil!

—¿Cuántos quería que les diéramos? ¿Dos millones cuatrocientos noventa y nueve mil? Bah, además Almazán había sido huertista. ¿Por qué no pone también esa acotación? Pero hay que respetar el voto a como dé lugar porque es la voluntad de las mayorías: la ley suprema. ¿Cómo escribió? "Sólo cuando seamos todos un todo nos salvaremos cada uno", lo que es imposible aplicarlo a la política, en donde imperan la ambición personal, la mezquindad, la estupidez, la traición...

Dio un golpe al brazo del sillón y me preocupé.

—Señor, ¿en qué quedamos? Calma o de veras llamo a su médico.

—Me sulfura su ingenuidad, como sulfuró a sus colaboradores. Por eso Huerta nomás se le adelantó a Carranza en el cuartelazo. "De los santos en política líbranos Señor", escribió Cabrera. Y ahora de nuevo lo tenemos ahí afuera, carajo. ¡Sigue leyendo!

El niño angustiado se le había esfumado de los ojos y era mejor hacerle caso enseguida.

—Copia el hombrecito algunas notas que no pudimos evitar que publicaran los periódicos sobre un mitin en la Alameda a favor del general Henríquez Guzmán, quien se nos lanzó como candidato independiente a la presidencia en el cincuenta y dos, lo que tampoco pudimos evitar. Por Dios, alguien como Henríquez: le criticaba a usted "olvidar a los humildes por los que nació la Revolución", haberse cargado a la derecha y sólo pensar en el dinero y él mismo amasó una de las mejores fortunas de ese entonces.

—No me interesa tu opinión sobre Henríquez.

—"Las elecciones tuvieron lugar en medio de una fuerte vigilancia del ejército (cinco soldados en cada casilla) para intimidar a los henriquistas, pues algunos de ellos eran militares y aún con el gusanito por los alzamientos armados. Como de costumbre, todo estaba preparado para que el partido oficial resultara ganador fuera como fuera." Pero acuérdese, señor, por nosotros no quedó y les advertimos claramente en todos los diarios de la capital que no permitiríamos la concentración a favor del loco ése por ningún motivo. "La campaña política para las elecciones de poderes federales ha terminado definitivamente. Todo acto público, mitin o manifestación que quiera efectuarse con pretexto de dicha campaña no será permitido por ningún motivo". ¿Se acuerda? Usted mismo me lo dictó.

—Más o menos. ¿Imagínate si tuviera en la cabeza todo lo que te he dictado?

—Pues lo mismo, organizaron el mitin al día siguiente para celebrar el supuesto triunfo de

Henríquez. ¿Por dónde andaría México si deveras le permitimos triunfar? Tuvimos que mandar algunos contingentes de granaderos a la Alameda al mando del teniente Chaparro —hombre fiel al gobierno si los ha habido. De pronto —el testimonio de *El Universal* es inapelable, aquí lo reproduce el hombrecito—: "Un individuo que se cubría con una gabardina disparó hiriendo al teniente Chaparro y, como una señal, produjo la iniciación de los sangrientos combates. Ante el embate policiaco, los henriquistas intentaron replegarse hacia los árboles de la Alameda —siempre los árboles de la Alameda, eso lo digo yo, señor—, hacia Reforma y hacia el Zócalo." También, algo copia de otros periódicos: "En pocos minutos se generalizó el caos: grupos de granaderos y policías a caballo, sable en mano, perseguían a los manifestantes. Gases y tiroteos al mismo tiempo que según varios testigos, dos flamantes automóviles, de color negro, al parecer marca Cadillac, repartían armas y azuzaban a los manifestantes a defenderse". ¿Cuándo vamos a librarnos de los agitadores, señor? ¿Nota cuántos puntos en común? Piense en el sesenta y ocho: hasta el tiro que sale de por ahí, hiere a uno de nuestros hombres y desencadena la trifulca.

—¿Y luego?

—En fin, ya sabe usted, no faltaron los testigos, no tiene remedio, que también manifestaron haber visto otros autos, sólo que del Estado Mayor Presidencial, desde cuyas ventanillas asomaban amenazantes cañones de fusiles-ametralladora. Los henriquistas resistieron con una terquedad inusitada y nos lanzaban hasta piedras, palos e insultos, que casi herían más. Por eso como a las siete de la noche tuvimos que mandar los primeros carros blindados de la Brigada Motomecanizada del Ejército.

—¿Así está escrito?

—Le estoy tratando de resumir. Las notas de los periódicos son farragosas, y hace ya tantos años que los detalles para qué...

—Léelo como está escrito.

—"Pese a la represión, dos horas después de que se iniciara la violencia numerosos grupos de henriquistas se mantenían en la zona —como a las ocho de la noche llegaron estudiantes del Politécnico y de la UNAM a reforzar a los grupos que ya se encontraban ahí— resistiendo los embates policiacos e intentando organizar pequeñas concentraciones, hasta que fueron dispersados por la policía montada. Algunos lograron dirigirse al Zócalo y reagruparse con otros. En la plaza, que se encontraba a oscuras, lograron subir a las torres de Catedral y estando algunos armados organizaron una balacera por varios minutos." Imagínese, señor, en Catedral, aunque uno no sea creyente . . .

—Ya sé que no eres creyente, deja de interrumpir.

—"El último enfrentamiento se dio frente al teatro Follies, donde por cierto Tongolele presentaba su espectáculo 'Ritmos sobre hielo' —lo dice aquí, yo no me acordaba—. Ahí hubo necesidad de agregar dos carros blindados del ejército mientras la policía detenía a más de doscientas personas." Al día siguiente la propia embajada norteamericana mandó una nota a los diarios de su país en que hablaba de decenas de muertos, ¿recuerda? Sin embargo, como era necesario, la información nuestra minimizó la cifra de muertos y heridos y hasta conseguimos revertir un poco el motivo del conflicto. A un periódico se le pasó la mano y publicó que nosotros decíamos que "los policías se defendían a culatazos", lo que copia el hombrecito con grandes letras, y que "los salvajes henriquistas se lanzaron como fieras contra la policía y golpearon brutalmente a los casi impasibles granaderos". No hay manera que los periódicos conciban la objetividad, ya ve.

—¿Qué más dijimos?

—Llevamos más de cincuenta estudiantes a

la comandancia de la primera zona militar. Los médicos los examinaron y los encontraron absolutamente ebrios a todos, y así lo informamos a la opinión pública.

—Ni la burla perdonas. Ya me aburrí y me dio hambre, vámonos. Finalmente todos esos desmadres tenían poco que ver con lo que realmente sucedía en el país y es una ociosidad dedicarles tanta atención. ¿Falta mucho?

—Lo del ochenta y ocho, de lo que también el hombrecito copió algo.

—Válgame.

—Pero antes tiene una nota. Dice: Los ciudadanos con todo esto tuvieron una probadita de la barbarie secreta que prevalecía en el sistema y les sobrevino un terror que, por lo pronto, los alejó de las urnas, y a la larga se tradujo en apatía, desinterés y altos índices de abstencionismo, lo cual en las siguientes elecciones benefició al gobierno y al partido oficial.

—Alabado sea Dios. Dile al secretario de Educación que lo espero en veinte minutos.

☛

Al día siguiente, el Señor Presidente viajó a Acapulco a inaugurar la Reunión Nacional de la Banca y luego tuvo una larga sesión de más de tres horas con el gabinete económico, se quedó un rato más con el director del Banco de México, concedió una larga entrevista al *Journal de Geneve*, trabajó en un par de discursos inminentes, comió con una delegación de empresarios japoneses, habló con los nuevos líderes petroleros y revisó con el Regente las medidas para desalojar el Zócalo antes del grito, por todo lo cual hasta después de la media noche pudimos continuar con la lectura del infame cuadernito lo que, dijo, esperaba ansiosamente. Y además en un capítulo que tanto podía afectarle por ser el más cercano.

—Esta parte yo que usted ni la leería, señor, es puro desbarajuste de notas y breves relatos de lo más cursis.

—¿Cursis? Es curioso que lo digas porque siempre he pensado que él era medio cursi en lo que escribía. Fíjate en esta línea de sus *Memorias*: "En la noche del desierto las estrellas revelan su verdadero color; basta guiñar los ojos fijamente para saber que son rosas." ¿Qué te parece?

—Falsa porque obviamente las estrellas no son rosas.

—Eso no importa, idiota. Te estoy preguntando de lo cursi que significa haber escogido el color rosa, además para algo tan tendiente a lo cursi como son las estrellas. Si hubiera puesto azul o rojo pasaría, ¿pero por qué rosa? ¿A poco la línea no te dice mucho de una sensibilidad en particular?

—Sobre todo porque el rosa es un color más bien femenino.

—Ah, eso ya suena más agudo.

—Todo está así. ¿Recuerda el pasaje que leímos de cuando el mitin vasconcelista de una niñita vendedora ambulante en la Alameda que por tratar de recoger la mercancía que había tirado recibió un balazo y —cómo era— levantó su manita . . . tratando de prenderse del aire? Pues haga de cuenta.

—Vasconcelos lo defendía como escritor: "el misterio consustancial a él estaba en la entrelínea de la palabra dicha o escrita", lo que por lo demás también suena medio cursi. Léelo de una buena vez.

—"El chantaje, la intimidación, el engaño, el abuso y las tradicionales formas indignas de acarreo humano, como si se tratara de animales, fueron, entre otros, los recursos de que se valió el partido oficial durante las elecciones presidenciales de mil novecientos ochenta y ocho para que los campesinos lo salvaran de una derrota aún mayor. Qué vergüenza abusar así de la ingenuidad, del analfabetismo y del hambre, lo cual no hace sino revelar el espíritu indigno del gobierno actual. En los lugares más apartados e incomunicados, como las sierras —¡hasta de las bárbaras cuevas de la Tarahumara sacaron votos a cambio de un poco de pinole!—, las selvas, los bosques y el desierto, el partido oficial no encontró obstáculos morales ni físicos para reponerse un poco de los fracasos contundentes sufridos en las zonas urbanas, en donde la conciencia era sinónimo de execración. Un día después de las elecciones —denunció el diputado Jorge Amador— hubo ríos en Michoacán que llevaban en su corriente, como peces muertos y descompuestos, miles y miles de boletas marcadas a favor de la oposición. ¿No se encontró otro sitio en dónde echarlas? Tenía que ser en los ríos para que, al igual que las aguas negras, hicieran visible lo que más muerte y enfermedad provoca en este país."

—Qué barbaridad, está peor de lo que imaginaba.

—Y sigue, mire esto: "Ahí iba, corriente abajo, la voluntad del pueblo, que debería ser lo más sagrado para un gobierno supuestamente honesto y democrático. El pueblo venció el abstencionismo, la apatía y el miedo y votó; votó, como era inevitable, por la oposición (alguien que dura sesenta años en el poder sólo merece repudio): dijo aquí está mi marca, mi identidad, mi posible dignidad, mi presencia en este trozo de tierra. Yo quiero ser yo para integrarme a todos. Fuera cual fuera la consecuencia, esa voluntad era sagrada y nadie tenía derecho a obstaculizarla, mucho menos a burlarse así, lanzándola a las aguas negras del desprecio."

—Increíble. Como para enseñárselo a Vasconcelos.

—Y ya en pleno lirismo: "Las boletas —el país mismo— se fueron con el río, desordenado y ruidoso, que galopaba tenaz hacia su destino inescrutable: el olvido. Lo había conseguido el usurpador partido oficial: nadie sabría más de esos votos. Total, quizá ni siquiera hubieran sido determinantes para el resultado final. Pero detrás de cada voto había un mexicano. Así, el río en su cauce ancho o por momentos angosto, arrastraba, como víctimas propiciatorias, ramas, flores degolladas, hojas, y en algún recodo abandonaba, como un cuerpo agonizante, un tronco carcomido que llevaba prendida una de las boletas, que se iba a quedar ahí hasta que alguien la descubriera."

—Y de veras fue una pendejada echarlas al río, ya ni chingan en Michoacán.

—Estaban muy nerviosos, acuérdese.

—¿Qué más dice? Por lo menos esta parte

provoca risa.

—Suelta luego un rollito de lo más ingenuo: "El adelgazamiento de la franja del fraude no significa de ninguna manera que se haya reducido la manipulación del voto campesino. Hay más hipocresía en el partido oficial, eso sí. Pero los campesinos ya no son los de antes, y eso nadie lo ha tomado en cuenta. Tienen experiencia urbana y muchos de ellos incluso transnacional porque van y vienen a Estados Unidos."

—Válgame, ¿por dónde habrá andado para tomar esas notas?

—"Los campesinos, pese que le pese al partido oficial, están despertando. Empiezan a hacerse de una cierta cultura, oyen la radio y ven la televisión. Ya no son primitivos o salvajes y se han modernizado por el propio proceso del desarrollo capitalista. Donde hay desarrollo, la oposición es fuerte, y es lo que empieza a suceder en el campo. A medida que el gobierno insista en sacar a cualquier costo una falsificación de la voluntad popular campesina, está sembrando vientos que se le pueden volver tempestades en los años próximos. Por ello, he llegado a la conclusión de que la clave del fin del sistema está en esa gente, porque el día en que el México rural deje de ser manipulable, el partido oficial se volverá minoritario . . . y morirá."

—Míralo, por eso apareció el muy canijo de repente en el pueblito ése, ¿cómo se llama?

—Agüichapan.

—Quiere trabajar con ellos; siempre fue muy despistado el pobre para escoger la gente y los grupos que más convenían a sus ideas.

—Ve cómo no hay peligro.

—Sí hay. Síguele.

—"El seis de julio del ochenta y ocho representa, por fin —después de tantos años de adormecimiento— el resurgimiento del México inviolable, rebelde y participativo, que intuye su destino más allá de fluctuaciones fugaces de lo económico o de lo político. ¡México va más allá de eso!" —otra vez lo del más allá, señor—. "¡No sólo de pan y política vive un pueblo!". Todo esto está lleno de signos de admiración.

—Tenía que ser. Es el fondo de su sueño: rebeldía, sacrificio, trascendencia de la política para acceder "a más altos planos del espíritu". En ese sentido su discurso de mil novecientos nueve en Orizaba es inefable: "Sólo la fe nos hará libres. Estamos todos, desde siempre, en donde sin saberlo deberíamos haber estado, pero hay que ir más allá del yo, más allá del tiempo. Por eso es bueno que en esta reunión tan numerosa y netamente democrática, de entusiastas trabajadores mexicanos, demostréis al mundo entero que vosotros no queréis sólo pan, queréis por sobre todas las cosas libertad..." En fin, te estoy citando de memoria. ¿Qué te parece?

—Como para Fidel Velázquez. Continúo: "No importa que el fraude volviera a perpetuarse y la voluntad del pueblo fuera burlada. La semilla ha sido sembrada y habrá de germinar. La reforma política, habiéndola creado el mismo gobierno como una estrategia más de perpetuación, se le ha revertido y ha sido un ácido corrosivo del que no podrá reponerse. Es verdad, son muchas sus limitaciones (¿podía haber sido de otra manera habiendo surgido de donde surgió?): un sistema electoral diseñado para mantener la hegemonía del partido oficial, con todos los caminos despejados para el fraude y la ilegalidad; una representatividad de partidos mañosa e injusta; un régimen legal de empadronamiento absurdo y obsoleto, etcétera. Lo sorprendente es que con todo esto, la reforma haya sido un poderosísimo factor de movilidad política, de educación y concientización de la ciudadanía."

El Señor Presidente soltó una carcajada tan estentórea y forzada que al final sonó más bien a cacareo.

—¿Qué quiere? ¿Que me suicide? ¿Que yo mismo ponga las condiciones necesarias para mi suicidio? No me hagas caso. Continúa.

—"¿Qué saldo dejó entonces el seis de julio del ochenta y ocho? Un escenario que se derrumba, un sistema que se cayó y se calló. Un gobierno que echó a andar la más amplia maquinaria y el más vasto operativo de adulteración del voto que México haya conocido en su historia. Y lo peor: que a pesar de ello, ese gobierno continuó esgrimiendo la bandera de la Revolución de mil novecientos diez, del sufragio efectivo y la no reelección, por la que dieron tantos mexicanos la vida."

—Qué susceptibilidades, por Dios.

—"Derrotado en las casillas, recurrió a toda la gama de trampas que conoce, y que no son pocas (¿quién podría ganarle en cualquier otro lugar del mundo?). La expulsión descarada de casillas a representantes de la oposición. Las brigadas de votantes falsos multiplicando el voto oficial. La inutilidad de la 'tinta indeleble'. La acción de 'auxiliares electorales' al servicio del partido oficial. La parcialidad o abierta complicidad de presidentes y funcionarios de los comités distritales en favor de las maniobras fraudulentas. Quedarán los cadáveres de Francisco Xavier Ovando y Román Gil Heráldez —colaboradores del PRD—, mandados asesinar impunemente por el gobierno; quedará, en fin, un secretario de gobernación turbado y estigmatizado en su carrera política, quien después de informar que se había 'caído' el sistema de computadoras del Registro Nacional de Electores, fue incapaz de contestar a la réplica de Jorge Alcocer (del PMS): —¡Empeñó usted su palabra y no cumplió!" —qué lata da con lo del honor, ¿no?— "Nos prometió que tendríamos información minuto a minuto del resultado de las elecciones. Son las cuatro de la madrugada (del jueves siete) y todavía no tenemos el resultado de una sola casilla. El sistema de cómputo sigue 'caído', pero Jorge de la Vega ya se anticipó y proclamó el triunfo del partido oficial. Y quedará lo que todos los mexicanos supieron y sabrán siempre: el partido oficial perdió en el Distrito Federal; toda la franja petrolera de Veracruz votó a favor de Cárdenas y en el norte arrolló el PAN. Pero, finalmente, los votantes importan más que los sistemas (caídos o no). La novedad histórica fueron esos millones de votantes que volvieron a salir a la calle después de las golpizas y las frustraciones del pasado y que dijeron a gritos que hay que acabar con el partido oficial pacíficamente e instaurar de veras y de una vez por todas la democracia en México." Y termina con una acotación: a un hombre sólo puede valorársele en lo humano, en lo político y en lo espiritual, por su capacidad de hacer y cumplir una promesa.

—¿Es todo?

—Falta mi informe de su estancia en Agüichapan, que es muy breve.

Hubo un largo silencio. El Señor Presidente tenía la barbilla clavada en el pecho y se miraba lánguidamente los pulgares, que hacía girar. Cuando se pone así es difícil prever su reacción siguiente, que lo mismo puede ser de derrumbe absoluto, de tristeza, o de una furia arrebatada. Le pregunté si quería que le leyera el informe de una vez y se limitó a asentir con la cabeza.

☛

—Llegó en el tren de la madrugada. Un tren en el que casi nunca llega nadie. El guardavía dice que bajó solo y de repente, con un brinco innecesario. Permaneció un rato en la neblina del andén, parpadeante y como haciéndose a la idea de haber llegado, diminuto, medio encorvado y con una pequeña maleta. El guardavía dice también que le hizo varias preguntas de las que casi no obtuvo respuesta, y hasta lo asustó un poco su mirada tan encendida. Pero de pronto cambió, dejó de parpadear y se mostró de lo más amable. Una barba crespa le ensombrecía el rostro y su ropa estaba muy sucia y percudida.

Debajo del sombrero de hongo asomaba por la nuca un mechón de pelo lacio y sudoroso.

Cruzó la gruesa capa de frío, pisando con firmeza las lajas pulidas. Los burreros aparejaban a esa hora sus animales para el acarreo del agua y dicen que el hombrecito los saludó como si ya los conociera. En algunas ventanas se veían unos ojos fosforescentes que se asomaban por un resquicio de las cortinas. Cuando los ojos eran suficientemente visibles, el hombrecito los saludaba quitándose y poniéndose el sombrero y dibujando una ligera reverencia.

Se instaló en el hotelito de la plaza central y al día siguiente lo vieron salir muy temprano. La pequeña maleta que constituía todo su equipaje debía de estar llena de dinero —nunca pudimos averiguar de dónde lo sacó— porque enseguida se compró zapatos y ropa de la mejor, mandó que le hicieran un traje nuevo, oscuro y con chaleco, y en la peluquería dejó una generosa propina después de que le cortaron el pelo y le arreglaron el bigote y la barba para formar con ellos un perfecto candado, dibujado y retinto. Entonces empezó a hablar con la gente, como decía en mi informe anterior.

En Agüichapan el fuerte de la gente era cultivar maíz, pero en los últimos años la cosecha ha sido muy pobre, como por lo demás nos ha sucedido con varios pueblitos de por esa zona. El gobierno no puede hacer milagros.

—Ahórrame tus comentarios.

—Se quejan de que comen lo que pueden y la malpasan. Algunos por ejemplo le han buscado por el lado del carbón, en un tiempo en que la gente no tiene dinero y prefiere irse a los bosques a cortar su propia leña, nomás vea. O, típico, abren localitos con dulces y velas que nadie compra; mal venden verduras, gallinas y sombreros de paja en el mercado o se ofrecen de peones en una presa o de perforistas en un túnel que suponen estamos por abrir. La gente sin trabajo empieza a ver lo que no existe, es horrible: —Por allá dizque hay algo, habría que ir aunque esté lejos. O: —Ahí nomasito, el siguiente pueblo, la pavimentación de una calle. Perdóneme el lenguaje, pero con él quisiera hacerle más viva la situación de esa pobre gente. Hay que ser realistas, como bien dice usted.

—Si puedes evitar las metáforas, mejor.

—Algunos, dicen, preferían echarse todos los días el viaje de ida y vuelta a Tierra Blanca, otro pueblito a unos cuantos kilómetros, a cortar caña; pero empezaron a ir tantos y armaron tal alboroto que luego no había trabajo para ninguno. Además, a los de un pueblo que no está tan mal no les gusta que los invadan los de un pueblo que está peor.

—Obvio.

—Ahí se veía a los hombres de Agüichapan, cuentan, desperdigándose, cada quien por su lado por las faldas herbosas de los cerros rumbo a posibles trabajos, supuestamente mejores que el anterior pero casi siempre inexistentes, "espejismos de la mala época"; y de vuelta por el mismo camino vacío, con más polvo en los ojos que a la ida, todos solos porque desde los problemas de dinero —se pedían prestado unos a otros, pero qué iban a prestarse— ya nadie se llevaba con nadie. Hay que tratar de verlos, señor: sin más compañía que el paso ocasional de una recua, tan desamparada por lo demás como cada uno de ellos... En realidad, estará de acuerdo conmigo, todo esto es una verdadera pena para un país como el nuestro, que hoy está a punto de engancharse a la locomotora del primer mundo.

—Concreta qué sucedió o te mando a hacer ese maldito informe de nuevo.

—Los unió de nuevo, ése fue su éxito. Los reunió y los unió. Dicen que no era tanto lo que decía sino cómo. Las inflexiones de su voz. Y la mirada, me hablaron mucho de su mirada. Les hablaba por su nombre y por el de su mujer y el de sus hijos y tal parecía que los conociera de años. Los escuchaba, los consolaba, los curaba sin cobrarles —en la pequeña maleta llevaba medicamentos y hasta un estetoscopio, pero no sabemos aún si de veras es médico—, los apoyaba en el negocito que querían abrir, los reconciliaba a unos con otros y les demostraba las ventajas de que invirtieran y trabajaran juntos. Y lo que es peor: supuestamente les enseñó a exigir sus derechos de ciudadanos y trabajadores; pobre gente, ya sabe usted lo fácil que es ilusionarla . . .

—Al grano, al grano.

—Al poco tiempo, como era inevitable, teníamos al pueblo de uñas contra el presidente municipal. Se me informó con prolija amplitud (innecesaria) por qué las autoridades no tomaron ninguna medida contra el hombrecito: en primera porque no eran disturbios o mítines los que organizaba, sino "pláticas" a las que, sin embargo, cada vez empezó a ir más y más gente; en segunda porque sus ayudas económicas, aunque modestas, aligeraban la pesada carga del gobierno en un pueblo con hambre; y en tercera porque cuando las autoridades de la entidad hablaron con él se mostró "de lo más amable y conocedor de las leyes". La verdad es que cuando decidieron hacer algo ya era demasiado tarde, y así se los hice ver, en tono firme y perentorio, al gobernador y al presidente municipal (un hombre al que por cierto deberíamos pensar en cambiar a la brevedad a pesar de que acaba de ganar las elecciones).

—¿Pero cuál fue el problema, carajo?

—El pueblo en pleno fue a proponerle al hombrecito que se lanzara como candidato independiente a la presidencia municipal, cuyas elecciones estaban por celebrarse. Les contestó que no podía, no tenía partido ni registro, y estaba por marcharse a otros pueblos a continuar su labor...

—Ay Dios.

—...pero que los podía ayudar a estudiar las opciones que les ofrecían los partidos por los que podían votar, o a buscar a alguien para que se lanzara en forma independiente.

—O sea, les metió la idea de que podían votar por quien les diera la gana y no por quien, como ha sucedido hasta ahora, les ha impuesto el gobernador. Y que además —lo que es el colmo— podía ganar las elecciones quien eligieran.

—Ya se imaginará el conflicto. Escogieron al profesor de la única escuela que hay en el pueblo, dizque licenciado, más pobre que una rata pero que lleva años escribiendo unas cartas farragosísimas e interminables quejándose por todo, y que el gobernador y el presidente muncipal ya ni siquiera abren. Dicen que el hombrecito reunió una noche a buena parte del pueblo afuera de su casa . . .

—¿Todavía eran pláticas inocentes?

—No, pues ya no, ¿verdad? Dicen que afuera de la casa colocó unos hachones de ocote, que se consumían chisporroteantes, creando una extraña atmósfera a la vez de jolgorio y de misterio.

—¿Y él me acusa de actor?

—Cuentan que hasta recién nacidos llevaron, como para que nomás oyeran, aunque no entendieran, esas palabras que luego iban a repetirse por todos los sitios, como ecos.

—Qué barbaridad, ¿pues qué les dijo?

—Nadie se pone de acuerdo, pero en esencia les dijo . . . en fin, los convenció de que aunque fuera con su vida defendieran la legitimidad de las elecciones que iban a celebrarse.

—¿Con su vida?

—En eso sí se pusieron todos de acuerdo: en cómo les recalcaba que la dignidad física y espiritual de un pueblo está en relación directa a su capacidad para elegir a sus gobernantes, y que sin dignidad la vida no vale la pena vivirla. Por ahí.

—La democracia como iniciación religiosa, qué espanto. ¿Y?

—Todo esto con un candidato independiente que no tenía partido ni registro. Hablaron con ellos las autoridades locales y les explicaron: votan los hombres, pero a través de leyes, sectores y partidos previamente organizados. Ni las leyes, ni los sectores, ni los partidos, ni los votantes se improvisan, pero el hombrecito les respondió que no hay más ley que la voluntad del pueblo.

—Santa Cachucha, antes no era tan drástico . . .

—Él mismo anduvo infatigable por los pueblitos y los ranchos de los alrededores arengando a la gente para que votara. Imprimieron volantes y encima de nuestra propaganda, en las bardas, pintaron la de ellos, con lo que dejaron el pueblo hecho un asco. Y, claro, en efecto, la gente enfervorizada fue a votar. Consiguió que casi no hubiera abstencionismo, lo que en un sitio como Agüichapan cuál era el caso. Hasta les enseñó cómo debían defender las urnas, debidamente selladas, para que nadie las alterara. Total, tuvo que intervenir la policía para desalojar las casillas . . .

—Ya me imagino, ya me imagino, organizó la marcha de protesta, el plantón aquí . . .

Se puso de pie muy circunspecto, mordiéndose un labio, y fue al balcón.

—Lo ves, ahora no está. A estas horas siempre desaparece.

—Mi gente tiene instrucciones de no perderlo de vista un solo instante. Mañana puedo informarle a usted...

—¿Para qué? Ya sabemos a dónde va, lo único que le interesa, a lo que ha venido... Tráemelo mañana temprano.

—¿Perdón?

—Que me lo subas mañana aquí mismo. Vamos a salir de esto de una buena vez. Tengo mucho trabajo pendiente.

☛

¿En qué estado de ánimo recibió al día siguiente el Señor Presidente al hombrecito? Al principio diría que hasta excesivamente tranquilo, lo que debió hacerme tomar precauciones, es cierto. Pero imaginen ustedes mi situación y si iba, en tales momentos, a lograr imponerle la visita de un médico, a los que literalmente abomina. ¿Aun así lo debí haber hecho? No lo dudo y no me justifico, pero vaya en mi descargo que no hice, y no he hecho durante todos estos años, sino respetar su alta voluntad, incluso por encima de su salud y de la mía propia. "Si hemos llegado a esta edad es porque nuestras pobres vidas no son nuestras; son de la patria, y ella nos sostendrá de pie mientras nos necesite", ha dicho. Así que me niego a dar más razones de mi comportamiento de aquella mañana —como si tuviera alguna necesidad de justificarme— por no llamar antes a un médico; por favor, cuando durante más de medio siglo yo mismo le he aplicado supositorios, le he tomado la presión, la temperatura, el pulso, lo he inyectado y le he administrado medicamentos que ya ni siquiera pregunta para qué son.

El hombrecito sí que entró francamente tenso y hasta diría que rígido porque tuvimos que subirlo a la fuerza, casi a rastras. Tenía unos ojos que quemaban y los labios sellados (en realidad nunca los abrió). Al entrar se quedó cerca de la puerta —no pudimos meterlo más— y hasta él fue el Señor Presidente, medio encorvado y con movimientos pausados, sordos diría yo; el mechón blanco se le agitaba en la frente y los brazos le colgaban muy lacios. Se le acercó como el miope a un objeto que intenta reconocer.

—Eres tú, ¿verdad?

Y aún se le acercó un poco más, casi como metiéndosele a los ojos.

—¿De veras eres tú? Dios mío, me parece increíble.

El hombrecito tenía los puños tan apretados a los flancos, y continuaba tan tenso, que temí pudiera responder con un puñetazo, por lo que yo también me acerqué a ellos (mis ayudantes se habían marchado y estábamos los tres solos).

—Sabías que te iba a reconocer, ¿verdad? Que bastaría que pasara mis ojos por el Zócalo un momento para que te reconociera y supiera que eras tú y que habías venido a buscarme a mí. Aunque me rechaces, aunque no quieras verme, aunque hayas regresado a pelear contra mí . . . Estás aquí por mí y nada más que por mí y eso, te lo confieso, me llena de emoción . . . ¿Deberé decirte que también de orgullo?

El Presidente empezó a andarle alrededor, como si quisiera reconocerlo por todos lados.

—¿O será que con tu silencio quieres darme a entender que yo soy lo de menos? Es posible. Pobre iluso, me arrogo un mérito que no merezco. ¿Igualarme a ti? Cómo pude soñarlo. Tus altos ideales están por encima de un solo hombre —y en especial de un hombre como yo— y van más allá de este mundo miserable. Cuando haya desaparecido y me pudra en el olvido o en el despiadado juicio de la historia —¿qué seré? ¿una circunstancia irremediable, un accidente más, una coyuntura que se superó?—, tú continuarás en lo mismo con tu halo permanente. Una y otra vez y siempre. Regresarás aquí, quizás a este mismo despacho, a mostrarles a otros la altivez de tu silencio; el desprecio a nuestra bajeza y nuestra abyección. Bah. ¿Quién te crees? Decías que en la otra vida hay varios planos astrales, como estrellas por habitar. ¿Por qué no te marchas a la más lejana y nos dejas en paz?

Ya para entonces, como era de temerse, el Señor Presidente tenía las mejillas del color de las berenjenas. Pero aún hizo un esfuerzo, se le plantó enfrente, trató de sonreír y le mostró las manos abiertas. El hombrecito más bien como que no veía nada y tenía unos ojos duros en un punto indefinido de la pared.

—Pero qué falta de cortesía la mía. Pásale, por favor —lo tomó del brazo y lo hizo avanzar unos pasos; el hombrecito se dejó conducir sin oponer resistencia, muy diferente que conmigo—. Conoces perfectamente este sitio. ¿Cuánto tiempo estuviste aquí? ¿Quince meses? Qué pena que hayas durado tan poco, te lo digo sinceramente: nomás veme a mí. Capaz que si duras un poco más no hay necesidad del mitote que levantó tu muerte. ¿Cómo le dijiste al embajador Márquez Sterling, que te visitó cuando ya estabas preso en la Intendencia, aquí abajo precisamente, aunque está tan cambiada que no la reconocerías? "Ministro querido, ya ve usted, un Presidente electo por cinco años, derrocado a los quince meses, sólo debe de quejarse de sí mismo y nada más de sí mismo." Qué humildad, qué capacidad de autocrítica, de veras. ¿O habría que llamarlo de autotortura? Admirable. Cualquier otro, de entrada, le hubiera echado la culpa a la recesión económica, a la caída de los precios del petróleo, a sus ministros, a los sacadólares, a los sindicatos petroleros, a los banqueros, al jefe de la policía, a los empresarios de Monterrey, a los Estados Unidos. Uf. Tú tenías a la mano a Huerta, quién mejor. Ah, pero cómo. ¿Tú? La copa del remordimiento y la culpa, por ti y por todos nosotros, la más amarga seguramente, también tenías que beberla hasta las heces y tú solo, totalmente solo... Dios mío, qué sería del mundo sin ustedes, que purgan en sí mismos todos nuestros males... Ven, acércate al escritorio, ¿lo recuerdas? Este despacho sí está casi como lo dejaste.

El hombrecito se dejaba conducir con tal docilidad que me pareció extraño y traté de no perderle de vista los puños, que continuaban crispados: por lo menos un arma estaba seguro de que no llevaba, pero había a la mano cortapapeles, candelabros, ceniceros, uno nunca sabe.

—¿Recordabas el candil, el más grande que hay en Palacio? Cuántas veces no alumbraría tus reuniones —dicen que al final ya casi no salías de aquí, te aseguro que a veces me dan ganas de hacer lo mismo— con tus ministros, con el embajador norteamericano, con el propio Huerta, con tu hermano Gustavo, con Pino Suárez, con los empresarios que te presionaban para que entraras en razón y renunciaras a posibles conciliaciones con bandidos como Zapata. Supondrás que con mi política actual estoy entregándome justo a aquellos que te derrocaron a ti: el capital privado y los Estados Unidos, pero no te preocupes: son otros tiempos, la política y la economía han cambiado en el mundo como no tienes una idea.

La mirada del hombrecito se suavizó y hasta un como esbozo de sonrisa adiviné en sus labios.

—Qué experiencia ser Presidente Constitucional de los Estados Unidos Mexicanos, ¿verdad? Algo que, de veras, parece que nos lo manda Dios. El librero guarda algunos de los libros que dejaste y que hemos mandado empastar, como esa *Historia del México Independiente* de José María Bocanegra, o las *Efemérides históricas* de Francisco Sosa, estupendo, por cierto. Míralos, por lo menos asómate a verles el lomo a través del cristal, vamos. Te confieso, me impresionó sobremanera desde la primera vez que entré aquí —y ya hace algunos años— esa águila devorando una serpiente sobre un nopal, tallada en madera, que remata el librero. Qué horror, ¿la has visto bien? Fíjate en la cabeza de la serpiente, en la que se distingue con toda claridad la fiereza del ojo, los dientecillos afilados con un veneno mortal dentro. A veces, sentado al escritorio, tenía la sensación de que su ojo fiero miraba hacia mi espalda, algo horrible. Una serpiente así, en pleno despacho presidencial, a quién se le ocurre, pero imposible quitarla si está desde antes de don Porfirio. ¿A ti no te afecta que te miren por la espalda? Yo no lo soporto; entiendo a Carranza, que se sentaba a contraluz para sólo él ver con claridad a quien tenía enfrente. Pero, ¿te imaginas si lo hago? Nomás falta que digan que trato de parecerme a Carranza, con los antecedentes de haber querido adelantársele a Huerta en el cuartelazo.

El Presidente le pasó una mano por el hombro y hasta le bisbisó algo que no alcancé a oír del todo. Pero lo que sí oí claramente fue cuando lo invitó a sentarse en la silla del escritorio presidencial.

—Recordarás el busto de Morelos, el reloj Boule estilo Luis XV, el cuadro de Guadalupe Victoria . . . aunque el cuadro de Guadalupe Victoria lo pusimos hace poco, ¿cuándo fue Domínguez?

—En mil novecientos ochenta y tres, señor.

—Sí, ése no lo puedes recordar. Pero sí recordarás la silla del escritorio, de nogal labrado, también con el escudo nacional. Siéntate un momento, por favor. No imaginas el gusto que me dará verte de nuevo ahí sentado, aunque sólo sea un momento. ¿Cuántos años tenías de no hacerlo? Y en qué circunstancias te obligaron a pararte . . .

Y el hombrecito se sentó, aunque más habría que decir se derrumbó, porque cayó de golpe y permaneció hundido en sí mismo, desgajado, más como un títere al que se le hubieran aflojado los hilos.

—Tuvimos que cambiarle el cuero marroquí con que tú la usaste, no hubo más remedio. Déjame verte un poco más de lejos. Inaudito. Te juro que me emociono . . . hasta las lágrimas. Qué inmerecido privilegio me ha dado la vida: volver a ver ahí sentado, y sólo para mí, al apóstol de nuestra Revolución . . . No podría resistirlo mucho tiempo; mejor ven, vamos al sofá.

El Señor Presidente parecía de veras al borde del llanto —lo conozco cuando finge y no era el caso— y con el dorso de la mano se enjugó una lágrima furtiva. Tomó al hombrecito del brazo —me tranquilizó que lo trajera y lo llevara a donde él quisiera— y fueron al sofá de cuero. Lo obligó a sentarse muy derecho, le acomodó una mano sobre el brazó del sofá, y él se instaló en el sillón de enfrente.

—Aquí mismo estuviste sentado con don Porfirio, ¿verdad? Una tarde en que "la luz incierta entraba con timidez por los balcones entreabiertos y aislaba los perfiles iridiscentes de los candiles". También recuerdo que en algún momento ibas a sacar el pañuelo del bolsillo trasero del pantalón y él supuso que era un arma. Se puso de pie de un brinco y preguntó qué pretendías hacer. ¿Te imaginas que Francisco I. Madero hubiera asesinado aquí mismo a Porfirio Díaz? El lío para los libros de texto. Pero bueno, la historia sería otra y quizá yo mismo no estaría ahora aquí.

El Presidente tomó un habano de la cigarrera de plata de la mesita de centro —lo que tenía años de no hacer; el médico se lo prohibió terminantemente—, le ofreció uno al hombrecito —que ni siquiera pareció enterarse—, lo encendió y levantó una larga espiral de humo que se distendió en lo alto.

—Pero lo que más recuerdo fue una de las respuestas que te dio don Porfirio, y que podría avalar en su totalidad: "La paz y el progreso nos han costado mucha sangre y mucho esfuerzo, joven Madero —aborrecías que te dijera joven

Madero— y no podemos darnos el lujo de arriesgarlos. Le repito lo que le dije a Creelman: que para evitar el derramamiento de sangre fue necesario derramarla un poco. Si hubo crueldad, los resultados la han justificado. Hoy la educación y la industria han terminado la tarea comenzada por el ejército." Tal cual podría decírtelo hoy; marea eso del eterno retorno en la historia, ¿no crees? Y sin embargo insististe en hacer la Revolución —inspirada por los espíritus, además— y regresaste al país, ¿cuántos años? Domínguez, tráenos un poco de café.

Preferí ir por él personalmente. Cuando regresé, unos cuantos minutos después, la escena había cambiado del todo: aunque el hombrecito seguía en la misma posición y con la misma mirada ausente, el Presidente estaba de pie y le agitaba una mano frente a la cara; hablaba casi a gritos y los ojos le papaloteaban en las órbitas. El habano se consumía en el cenicero. Ni siquiera me atreví a acercarles el café.

— . . .pero, ¿sabes lo que sucederá mañana? Ordenaré que te hagan desaparecer cuando vayas de regreso al miserable pueblo del que vienes. Y cuantas veces regreses volveré a ordenar lo mismo. ¡Échenlo fuera! ¡Vamos, fuera con él! Fantasma o no, encontrarás siempre nuestro rechazo. Como héroe eres soportable;

tu presencia no haría sino estorbarnos. Tu Revolución ya nada tiene que ver con la nuestra desde hace muchísimos años y la bandera que usaste y lo que dijiste ya es más nuestro que tuyo. Mejor dicho, ya no es tuyo para nada. Además, te voy a decir la triste realidad. Si te hago desaparecer, el pueblo ése del que vienes se habrá olvidado de ti en unas semanas. Qué digo en semanas, en unas cuantos días. Y los que se acuerden, sacudirán la cabeza y se dirán: cómo pude contagiarme de su locura. Mencionabas en las notas de tu cuaderno a Ovando y a Gil Heráldez del PRD, a quienes nos acusas de haber asesinado impunemente. Por Dios, ¿quién se acuerda hoy de Ovando y Gil Heráldez? Nadie. Quiza ni siquiera los de su propio partido. Y esa es nuestra fuerza. ¿En qué cabeza cabe continuar protestando por ellos hoy en día? Tenemos demasiados problemas todos como para volvernos a mirar hacia atrás. ¿Las elecciones del ochenta y ocho? Pero si en noventa y tres habrá una grave recesión en la economía mundial, hay que empezar a enfrentarla ya. ¿Tienes idea de la cantidad de gente que si volvieran a efectuarse las elecciones del ochenta y ocho ahora votaría por mí? Te asombrarías. ¿Y sabes por qué? Porque no votaron a favor de Cárdenas o de Clouthier sino en contra mía. Están hartos, pero en el fondo les aterraba que perdiera yo y ganara por quien votaban, porque la poca seguridad y tranquilidad que tienen —y es lo único que en realidad les importa, ya lo aprendí— se las doy yo, con más de sesenta años en el poder, acusándome todos de burócrata y corrupto, y religiéndome tramposamente cada seis años. Si sigo aquí no sólo es porque el pueblo lo ha soportado o padecido, sino porque en el fondo así lo quiere, no te engañes.

Iba de un sitio al otro del despacho, daba rápidas fumadas al habano y lo volvía a abandonar en el cenicero, hacía muecas y gestos, blandía un índice frente a la cara del hombrecito, circunnavegaba la mesita de centro.

—Me preocupa otro Francisco I. Madero entre nosotros, es cierto. Pero te reirás por qué. Le temo, más que a la inflación —que es lo que más temo—, a su ingenuidad y a su miopía. Déjanos en paz y verás que yo solo me voy despaciosa y tranquilamente, pero cuando deba irme. ¡No vuelvas a entorpecer las cosas, por favor! ¿No fue suficiente ya la sangre que derramó tu falso ensueño? Te lo aseguro, en las pasadas elecciones no podía irme aún, y no sólo por ambición de poder y de dinero, que ya para qué, de veras; no podía cometer la irresponsabilidad de dejar al país en las manos en que se hubiera quedado, como nos lo dejaste tú con Huerta. Me iré muy pronto, óyelo, como se hubiera ido don Porfirio si no lo precipitas todo y echas por la borda lo que habíamos construido durante larguísimos años de sangre y esfuerzo, como él mismo te lo dijo. Pero no lo oíste. En realidad tú y los tuyos sólo oyen las voces que les llegan de "otra parte", lo que es un verdadero peligro para la comunidad en que viven. ¿Para qué queremos tu divina libertad, de la que tanto hablas —"el problema del voto no es tanto de elección como de conciencia"; bah, con el analfabetismo que aún padecemos—, para qué queremos tu divina libertad si sólo conduce al desastre, a la infelicidad y, lo que es peor en un país como el nuestro, al retroceso y a la improductividad? Nada nos tienta como la posibilidad de la libertad, es cierto, lo sé —me han dicho de pájaros que se golpean contra la jaula hasta suicidarse si los pones a campo abierto y ven las parvadas pasar por lo alto—, pero a la vez nada duele más si la consigues porque detrás de ella, tienes razón, está la rebeldía. Por eso nosotros en el México de hoy —que desconoces del todo por más vueltas que te hayas dado a la hemeroteca— no queremos ni libertad ni rebeldía. No queremos la tentación de ver volar las parvadas en lo alto y, mucho menos, arriesgarnos a abandonar una jaula que tantos esfuerzos, durante más de sesenta años, nomás imagínate, nos ha costado construir y habitar. ¿Viste cuánto tardaron en Brasil para derrocar a un Presidente acusado de corrupto? ¿No te parece extraño que a mí me hayan acusado una infinidad de veces de lo mismo, y por montos mucho más altos, y sin embargo aquí siga? ¿No te habla eso de mí, pero también del pueblo que me sostiene? ¿O imaginas mayor tolerancia en el pueblo mexicano que en el brasileño? Por favor. ¿Durante sesenta años? El hombre ha sido creado para la rebelión, escribiste en tu cuaderno. "La grandeza del México rebelde." Yo vine a desmentir tu sueño y a demostrarte que, a la corta o a la larga, es en el sometimiento y en el autoengaño de todos y cada uno —tú haces como que votas cada seis años y yo proclamo la democracia y el sufragio efectivo y hago como que respeto tu voto y los dos nos hacemos de la vista gorda y suponemos que no es un gobierno tiránico el mío— en donde es posible concebir la paz, el progreso y de alguna manera esa entelequia que llamamos felicidad. ¿Adónde quieres que dirija su rebeldía un pobre campesino nuestro —ahora que, ya lo sé, andas queriendo agitar el campo de nuevo? Déjalo en paz y déjanos trabajar en paz con su felicidad adormecida y verás que en su sometimiento vil a nosotros —en el voto y en todo— algún día no muy lejano mejorará su condición, como hemos mejorado la de tantos, que ahora ya ni siquiera son campesinos. Porque, tú lo sabes, no hay hombres que se destruyan tanto entre sí como los que se sueñan libres —lo sabemos todos intuitivamente y nos quema de angustia. Doblégalos, humíllalos, y verás que corren a dejar su libertad insoportable a tus pies, como una ofrenda . . .

Hacía breves pausas para meterse algo de aire al cuerpo y luego soltarlo dentro de sus desasosegadas palabras. Las preguntas sobre todo llevaban en el tono un verdadero signo de interrogación, agudo y vibrante.

—¿Tienes idea de hasta dónde yo mismo seguí tus pasos? Pero tenía que desviarme de tu camino para continuar aquí y, sobre todo, para darle un poco de paz, de progreso y de felicidad a este pobre pueblo que es, en eso coincidimos, nuestra única y verdadera pasión. Vamos, hasta en lo del espiritismo y la comunicación con otros mundos te seguí —sé de las entrevisiones y aún las padezco con frecuencia— pero precisamente porque lo conozco, hoy no quiero saber nada más de eso. Abrí los ojos para bien de mí y de México. Regrésate de donde llegaste, te lo suplicamos, y hazte a la idea: nuestro reino todo, aquí y ahora, es sólo de este mundo.

Tanto estuve preocupado con el Señor Presidente, que no me percaté: el hombrecito se había puesto de pie y movía la cabeza a los lados, con gesto compungido y los ojos muy rojos y llorosos. Así, con esa actitud de aflicción, avanzó unos pasos, se acercó lo más posible al Señor Presidente, lo miró fijamente como hipnotizándolo y por último le dio un beso —fugaz y pleno a la vez— en la mejilla. Fue tan intempestivo que ninguno de los dos —ni el Señor Presidente ni yo— alcanzamos a reaccionar. Yo hasta subí los puños y me acerqué un poco más a ellos, pero no había para qué: lo inofensivo del hombrecito era evidente y, bueno, un beso es algo que desconcierta y confunde a cualquiera. El Señor Presidente primero lo miró rarísimo, estremeciéndose y respirando hondo; luego sacudió la cabeza y echó el cuerpo hacia atrás cuando ya ni caso tenía. Entonces empezó a ganarle la risa, y siguió riéndose, como decía al principio de este informe, aun cuando el hombrecito se hubo marchado.

NOTA

Esta novela, a pesar de su reducido número de páginas, le debe mucho a muchos. A catorce presidentes de México, es obvio. Lo mismo que al "Gran Inquisidor" de Dostoievski, quien espero me perdone el intento de trasladar a nuestra realidad nacional uno de los grandes temas de su literatura, y que no tiene más justificación que el deslumbramiento y la fascinación que me ha producido siempre la obra del visionario escritor ruso.

También debo mencionar que la idea de que un hombre aglutinara arquetípicamente a todos los presidentes que ha tenido el PRI me la dio Vargas Llosa con su mención aquella, que tantos problemas le ocasionó, de que el PRI es "la dictadura perfecta". Aunque, como se verá, ni tan perfecta.

Pero, bueno, no sólo en el tema central sino en el trabajo menudo de su ilustración debí recurrir en cada paso a otras fuentes. Por lo tanto señalo algunos de los nombres: Héctor Aguilar Camín, José Agustín (los dos tomos de su *Tragicomedia mexicana*), Jorge Alcocer, Armando Ayala Anguiano (*Cómo podría perder el PRI* era antecedente obligado), Roger Bartra, Arnaldo Córdova, Guillermo Correa, Salvador Corro (y en general, las revistas *Proceso* de las elecciones del ochenta y ocho), Daniel Cosío Villegas, Elías Chávez, Carlos Fuentes (*La región más transparente*), José Fuentes Mares, Gerardo Galarza, Luis Javier Garrido, Alejandro Gertz Manero, Sergio González Rodríguez, Pablo González Casanova, Enrique Krauze, Soledad Loaeza (la enumeración de las advocaciones es suya), Lorenzo Meyer, Carlos Monsiváis, Francisco Ortiz Pinchetti, Gonzalo N. Santos (sin cuyas descaradas *Memorias* no entenderíamos buena parte de las elecciones presidenciales en este país), Elisa Servín (su reportaje *La matanza de la Alameda*, sobre la represión al henriquismo), Enrique Suárez Gaona, José C. Valadés, José Vasconcelos, Gabriel Zaid (*La economía presidencial* fue el mejor libro que encontré sobre el tema, además de que el desglose que menciono de algunos atributos y poderes del Presidente de México es de él . . .)

¿Y qué decir de los "fantasmas que rondan nuestra historia" y sin los cuales sería imposible gobernar o escribir, según diría el bueno de Prinosaurio?

Finalmente, me encanta la idea de que una novela tan breve sea de tantos.

EL GRAN ELECTOR
SE IMPRIMIÓ EN LOS TALLERES DE
IMPRESOS Y ACABADOS MARBETH
CERRADA DE ALAMO No. 35
COL. ARENAL
MÉXICO, D. F.
SE TIRARON 2 000 EJEMPLARES
Y SOBRANTES PARA REPOSICIÓN

IMPRESO Y HECHO EN MÉXICO
PRINTED AND MADE IN MÉXICO